Cómo alimentar a los niños
Guía para padres

Si desea recibir información gratuita
sobre nuestras publicaciones, puede
suscribirse en nuestra página web:

www.amateditorial.com

también, si lo prefiere, vía email:

info@amateditorial.com

Síganos en:

@amateditorial

Editorial Amat

Pedro Frontera
Gloria Cabezuelo

Cómo alimentar a los niños

Guía para padres

Amat
editorial

© Pedro Frontera, Gloria Cabezuelo, 2013

© Editorial Amat, 2013 (www.amateditorial.com)
   Profit Editorial I., S.L. 2013

Diseño cubierta: XicArt

ISBN: 978-84-9735-112-6
Depósito legal: B-14084-2013
Impreso por Liberduplex

Impreso en España – *Printed in Spain*

Índice

Primera parte:
Alimentos y nutrientes

1
Importancia
de la alimentación

Alimentación y nutrición

Para mantener sus funciones vitales, el ser humano necesita un aporte continuo de energía y de nutrientes.

La energía es necesaria para el mantenimiento de la temperatura corporal, para la actividad física y para el funcionamiento de los múltiples órganos y sistemas que constituyen el cuerpo humano.

Los nutrientes son las sustancias que, transformadas a través del metabolismo, se convierten en partes integrales del propio organismo, que está en continuo cambio.

La energía y los nutrientes se adquieren, en la mayoría de ocasiones, a través de la alimentación aunque no siempre, por ejemplo, durante la vida intrauterina el feto los adquiere suministrados por la madre a través de la placenta.

Para el mantenimiento de las funciones vitales, el organismo humano necesita un aporte continuo de agua, de energía y de sustancias llamadas nutrientes, que transformadas por el metabolismo se convierten en partes integrantes del cuerpo. Los nutrientes están almacenados en los alimentos.

Los nutrientes están almacenados en los alimentos. Un nutriente especial es el agua, que el organismo pierde continuamente a través de la orina, de la piel (por evaporación y por sudoración), del tubo digestivo, etc. y que es necesario reponer para mantener la estabilidad corporal.

Clases de nutrientes

Se distinguen dos grandes tipos de nutrientes: macronutrientes y micronutrientes.

Los *macronutrientes* son las sustancias que se precisan ingerir en mayores cantidades y se dividen en tres grupos: proteínas, hidratos de carbono o azúcares y grasas o lípidos.

Los macronutrientes son los sustratos que contienen la energía que utiliza el organismo, convirtiéndose mediante el metabolismo en energía mecánica, química y térmica, características de las funciones del ser vivo. Además de esta misión energética, cumplen una función reparadora o plástica de reposición por el desgaste de células y tejidos corporales.

> Los nutrientes que se ingieren con los alimentos son de dos tipos: los que se precisan en mayores cantidades y que tienen una misión energética y plástica, llamados macronutrientes (proteínas, hidratos de carbono y grasas), y los que se precisan en menores cantidades y que cumplen una misión activadora de funciones vitales, llamados micronutrientes (vitaminas, minerales y oligoelementos).

Necesidades de energía y nutrientes

Las necesidades de energía y de nutrientes varían considerablemente en cada período de la vida y en cada circunstancia individual, siendo diferentes en el adulto y en el niño.

El balance energético de una persona es la comparación, la diferencia, entre la cantidad de energía y de nutrientes ingerida y la energía empleada o consumida, que se denomina gasto energético.

La nutrición equilibrada será aquella que iguala las ingestas reales de energía y de nutrientes a las necesidades nutricionales de gasto.

La nutrición deficitaria será aquella en que las ingestas reales son menores que las necesidades. Si la nutrición deficitaria se prolonga en el tiempo pueden agotarse las reservas de nutrientes que posee el organismo y aparecer falta o déficit, que puede conducir a enfermedades.

Al contrario, la sobrenutrición es aquella en la que las ingestas reales sobrepasan a las necesidades. En el caso de sobrenutrición de macronutrientes, habitualmente la energía ingerida en exceso se acumula en el cuerpo, principalmente en forma de grasa. La sobrenutrición prolongada de macronutrientes puede conducir a la obesidad.

La sobrenutrición de micronutrientes también puede conducir a un acumulo de los depósitos, y si es prolongada puede producir enfermedades por toxicidad.

> Las necesidades de energía y de nutrientes son muy variables en cada período de la vida humana y en cada circunstancia individual. Es necesario un conocimiento o educación nutricional y alimentario para alcanzar la nutrición equilibrada en cada momento. Hay que evitar tanto la sobrenutrición como la nutrición deficitaria, ya que pueden perjudicar al organismo y producir enfermedades.

Nutrición, crecimiento y desarrollo

El niño no es un adulto en miniatura. Se caracteriza por un proceso continuo de crecimiento y desarrollo desde el momento del nacimiento, proceso que consume una parte importante de sus necesidades de energía y de nutrientes del gasto energético total.

Crecimiento se define por el aumento de masa corporal que se manifiesta por un aumento de peso y de talla.

Desarrollo se define como maduración de todos los órganos y sistemas. El niño es un ser inmaduro, y sus órganos, al mismo tiempo que aumentan en masa aumentan sus capacidades funcionales.

Por ejemplo, el cerebro, al mismo tiempo que aumenta la masa encefálica, que se manifiesta por un aumento del tamaño de la cabeza y del perímetro cefálico, aumenta su función, que se manifiesta por el desarrollo de las funciones psicomotoras y el lenguaje.

Una correcta alimentación es condición indispensable para un adecuado crecimiento y desarrollo. Una nutrición inadecuada por alimentación incorrecta puede manifestarse por un retraso en el crecimiento.

El crecimiento, a pesar de ser un fenómeno continuado durante toda la infancia tiene dos períodos de mayor ritmo, de mayor intensidad: son los primeros años de vida, sobre todo el primero y dentro del mismo los meses iniciales, y la época puberal que precede a la adolescencia.

Estos períodos de mayor ritmo de crecimiento serán también los de mayor riesgo de que una alimentación inadecuada ocasione un retraso en el crecimiento: son los llamados períodos críticos del crecimiento.

El niño es un ser en continuo crecimiento (aumento en masa corporal) y desarrollo (aumento en sus funciones) y dedica a este proceso una parte importante de la energía y de los nutrientes que ingiere. Una correcta alimentación es indispensable para un adecuado crecimiento. Una alimentación insuficiente o inapropiada puede manifestarse con un retraso en el crecimiento. Los períodos de mayor ritmo de crecimiento (primeros meses de vida y época puberal) son períodos críticos en que hay que vigilar más la alimentación.

Educación en la alimentación

La alimentación es tan esencial para la vida humana, que es necesaria una educación del niño y del adulto en los hábitos alimenticios saludables como parte esencial en la prevención de muchas enfermedades.

La alimentación y la nutrición son además un fenómeno social y familiar, y es dentro de la familia donde existe la oportunidad de educar al niño en una alimentación sana que favorezca al máximo sus posibilidades de crecimiento y de desarrollo.

Los hábitos alimenticios se adquieren en el entorno familiar y se empiezan a instaurar muy pronto, en los primeros años de vida, en razón de un fenómeno de imitación de los hábitos alimenticios de los padres.

También se adquieren dichos hábitos en las guarderías y en escuelas infantiles, para consolidarse definitivamente durante la adolescencia, pero ya con influencia de numerosos factores externos: amistades, valores sociales, medios de comunicación, etcétera.

En los países desarrollados, los cambios en los estilos de vida debidos a los cambios socioeconómicos están influyendo en los hábitos alimenticios, con preocupantes errores que hay que corregir con una adecuada educación nutricional.

En general, en la sociedad desarrollada hay una disminución generalizada de la actividad física por una mejora en la mecanización del trabajo y en el transporte; con un mayor sedentarismo también en los escolares debido al aumento de horas dedicadas al estudio, a ver la televisión, etcétera.

El mayor sedentarismo, la menor actividad física, incrementa el riesgo de sobrealimentación, es decir, que las ingestas excedan a las necesidades.

Al mismo tiempo, los nuevos hábitos de comida rápida, consumo de refrescos y de *snacks*, comidas fuera del entorno familiar, etc., incrementan el peligro de dietas deficitarias en algunos nutrientes, sobre todo en los adolescentes.

La educación en la alimentación es una obligación en todas las edades, pero sobre todo en el niño.

La educación en los hábitos alimenticios saludables es esencial en la prevención de muchas enfermedades. Los hábitos alimenticios se adquieren muy pronto en el ámbito familiar y se consolidan durante la adolescencia. En los países desarrollados, los cambios en los estilos de vida pueden favorecer los errores alimenticios. La educación alimentaria es importante en cualquier edad, pero sobre todo en la infancia.

2
Necesidades nutricionales: necesidades de energía y de agua

Requerimientos e ingestas recomendadas

Varios grupos de expertos de organismos públicos (Organización Mundial de la Salud, Academia Americana de Pediatría, etc.) han estudiado durante muchos años las necesidades nutritivas de los niños a cada edad, y elaboran informes periódicos con revisiones actualizadas de las mismas.

Se denomina *requerimiento* a la cantidad necesaria de un nutriente para mantener a un individuo en estado saludable. Para cubrir las variaciones individuales con un amplio margen se añaden a los requerimientos medios una cantidad determinada, y la suma es la *ingesta recomendada* de un nutriente, que es la segura y adecuada y que expondremos a continuación.

Otro concepto interesante es el de la *biodisponibilidad* de un nutriente procedente de un alimento determinado: es la proporción del nutriente que puede ser absorbida por el intestino y, por tanto, utilizada, ya que en ocasiones aparecen factores que dificultan su absorción intestinal y parte del nutriente se pierde por las heces.

En el niño, las necesidades de nutrientes están condicionadas por dos factores esenciales:

1.º *La velocidad del crecimiento.* Como ya se ha indicado, aunque el crecimiento es un proceso continuo que se prolonga hasta el final de la adolescencia, se definen tres períodos con diferente velocidad: el período de rápido crecimiento de los primeros meses y años de vida, el de crecimiento estable de la edad preescolar y escolar, y el período de crecimiento rápido de la pubertad y adolescencia. En cada uno de ellos las necesidades nutritivas serán diferentes.

2.º *La inmadurez digestiva.* En los primeros meses y años de vida, el niño no tiene maduros la mayoría de órganos (intestino, riñón, etc.), y debe consumir una alimentación especial adaptada a esta inmadurez.

Numerosos organismos internacionales elaboran periódicamente informes actualizados sobre las necesidades nutricionales. Las *ingestas recomendadas* de cada nutriente son algo mayores que los *requerimientos* para cubrir con seguridad las variaciones individuales. En el niño, las necesidades de nutrientes están condicionadas por dos factores: el crecimiento continuo, que precisa mayores aportes en las épocas en que es más rápido, y la inmadurez digestiva, que precisa de una alimentación especial en los primeros años de vida.

Necesidades de agua

El agua constituye la mayor parte de nuestro organismo, alrededor del 60%, y está en continuo recambio. Se pierde agua constantemente por los poros de la piel (evaporación y sudoración), por la orina, etc. Para mantener la estabilidad y evitar la carencia o el déficit (llamado deshidratación) hay que reponerla ingiriéndola al mismo ritmo que se pierde.

El niño, por la inmadurez de sus órganos, necesita relativamente más agua que el adulto. Cuando más pequeño es el niño es más hidrodependiente y tiene más posibilidades de deshidratación si sufre pérdidas adicionales, como ocurre durante la diarrea aguda (llamada gastroenterocolitis).

Durante los primeros meses de vida, el agua necesaria se ingiere con la leche, preferentemente la leche de la madre o, si no es posible la lactancia materna, con las leches denominadas adaptadas, fórmulas de leche de vaca modificada para parecerse lo máximo posible a la materna.

Las necesidades de agua son de 150 ml por kg de peso y día en los dos primeros meses de vida, para disminuir después progresivamente: 125 ml por kg de peso y día a los 6 meses y 100 ml por kg de peso y día al año de vida.

Durante los 5 primeros meses de vida, el niño sólo precisa alimentación con leche, bien materna, o bien con fórmulas adaptadas (preparada a la concentración correcta) y no se necesitan aportes de agua en situaciones normales.

A partir de los 5 o 6 meses de edad se introducen otros alimentos distintos a la leche, en forma de papillas. Al ser más espesas tienen menos agua y el niño puede precisar beber agua entre las comidas para cubrir sus necesidades. A partir de los 8 a 10 meses toda la alimentación es en forma de papilla y el niño debe beber, entre tomas, toda el agua que precise, a su apetencia. Nunca hay que restringir el agua a un niño.

En situaciones anormales, como con muy altas temperaturas climáticas, fiebre prolongada o pérdidas anormales, como son los vómitos o la diarrea, el niño de cualquier edad puede necesitar más cantidad de agua. En esta situación conviene la consulta con el pediatra.

El agua constituye la mayor parte del organismo y hay que reponer las continuas pérdidas para evitar la deshidratación. El niño, por la inmadurez de sus órganos, precisa relativamente más agua que el adulto. Cuanta menor edad tiene el niño es más hidrodependiente. En los primeros meses de vida, las necesidades son de 150 ml por kg de peso y día. A partir del primer año las necesidades disminuyen a 100 ml por kg y día. Nunca hay que restringir el agua al niño.

Necesidades energéticas

El aporte energético debe cubrir las necesidades de mantenimiento de las funciones del organismo, de la actividad física y del crecimiento. Las necesidades energéticas se expresan en kilocalorías (kcal).

Durante los primeros 6 meses de vida, período de crecimiento muy rápido, se necesita ingerir de 110 a 120 kcal por kilo de peso y día. Durante los meses siguientes las necesidades bajan a 100–110 kcal por kilo de peso y día y entre el año y los 2 años de vida son de alrededor de 100 kcal por kilo de peso y día.

Pasada la primera infancia puede darse variabilidad de necesidades según la actividad física de cada niño. Al año de vida las necesidades son de alrededor de 1.000 kcal diarias. A los 3 años de vida, dichas necesidades son de alrededor de 1.300 kcal diarias. A los 4 años, si la actividad física es moderada se deben ingerir alrededor de 1.400 kcal diarias. A los 6 años, el niño con actividad física ligera tiene suficiente con 1.500 kcal diarias, pero con actividad física moderada o intensa puede precisar de 1.700 a 1.900 kcal diarias.

Entre los 7 años y los 10 años se necesitan desde 1.800 kcal al día, que precisa el niño de 7 años con actividad física moderada, a las 2.400 kcal diarias que precisa el niño de 10 años con actividad física intensa.

A partir de los 10 años comienza la adolescencia, período de crecimiento rápido que precisa un aumento de la ingesta de nutrientes, diferentes para cada sexo y para cada estadio madurativo.

Los varones de 10 a 12 años con actividad física ligera necesitan 2.200 kcal diarias, y con actividad física moderada 2.500 kcal diarias. Entre los 13 y los 18 años, los varones con actividad física ligera precisan 2.700 kcal diarias, y con actividad física moderada o intensa hasta 3.000 kcal diarias.

Las mujeres comienzan la pubertad antes que los varones y precisan entre los 10 y los 15 años, entre 2.200 y 2.500 kcal diarias según su actividad física.

En los primeros meses de vida hay un crecimiento muy rápido y las necesidades de energía son muy altas.

En la edad escolar el crecimiento es más lento, pero puede haber variabilidad de necesidades según el grado de actividad física.

La adolescencia es un período de crecimiento otra vez rápido y aumentan las necesidades de ingesta de energía y nutrientes.

En la adolescencia, las necesidades de ingesta de energía varían con el sexo y la actividad física.

Cálculo de la energía de los alimentos

Se conoce con gran precisión el valor energético de cada macronutriente. Un gramo de grasa proporciona 9 kcal. Un gramo de proteína proporciona 4 kcal, lo mismo que un gramo de hidrato de carbono.

Pero sólo algunos alimentos, como los aceites y los azúcares, están constituidos por un solo macronutriente: grasa en el caso del aceite e hidrato de carbono en el caso del azúcar. Lo habitual es que los alimentos contengan una mezcla de macronutrientes, y se han confeccionado tablas que indican la composición en macronutrientes y en micronutrientes de cada alimento y que sirven de base para la confección de las dietas.

Como ejemplo calcularemos el valor energético y los macronutrientes de un huevo de tamaño mediano, que pesa aproximadamente 50 g.

La mayor parte del peso del huevo, el 74%, lo constituye la cáscara y otros componentes que no se digieren. El 26% del peso es digerible y hay un 13% de proteínas, un 12% de grasas y un 1% de hidratos de carbono.

Proteínas: el 13% de 50 g son 6,4 g, que a 4 kcal/g dan una energía de 26 kcal.

Grasas: el 12% de 50 g son 6 g, que a 9 kcal g dan una energía de 54 kcal.

Carbohidratos: el 1% de 50 g son 0,5 g, que a 4 kcal/g dan una energía de 2 kcal.

En resumen, concluimos que un huevo mediano nos aporta un poco más de 6 g de proteínas, 6 g de grasas y medio gramo de hidratos de carbono, y que puede proporcionar una energía de 82 kcal. Es decir, es un alimento muy pobre en hidratos de carbono y muy rico en grasas y proteínas.

La mayoría de alimentos contienen una mezcla de macronutrientes. Se conoce con gran precisión el valor energético de cada macronutriente. Se han confeccionado tablas de composición de alimen-tos que indican con gran precisión el contenido en macro y en micronutrientes de cada alimento y que sirven para la confección de las dietas.

3

Necesidades de macronutrientes

Necesidades de proteínas y aminoácidos

Las proteínas constituyen entre el 15 y el 20 por 100 de la masa corporal. Dichas proteínas están formadas por aminoácidos y se diferencian de los otros macronutrientes en que incluyen nitrógeno en su composición.

Las proteínas desempeñan dos funciones principales en el organismo, estructurales y energéticas, mucho más importantes las primeras.

Las *funciones estructurales* de las proteínas son el formar parte de las células y de los tejidos corporales. También tienen funciones reguladoras, interviniendo en muchos procesos metabólicos formando parte de enzimas, hormonas, inmunoglobulinas, etc. Son también parte de los genes que sostienen los factores hereditarios.

Las *funciones energéticas* no son su cometido principal, ya que si se usan como fuente de energía se pierden para las funciones estructurales, que son prioritarias. Como fuente de energía originan 4 kcal por cada gramo consumido.

Las proteínas están compuestas por aminoácidos. Dentro de ellos hay unos denominados *aminoácidos esenciales*, que no pueden ser sintetizados por el organismo y que necesariamente deben aportarse por la dieta. La ausencia o ingesta inadecuada de alguno de estos aminoácidos causa alteraciones en el organismo.

Continuamente tienen lugar en el cuerpo humano procesos simultáneos de desgaste o rotura de proteínas y de síntesis. Este proceso o balance proteico o nitrogenado debe estar equilibrado en el adulto.

En el niño, el balance nitrogenado o proteico debe ser siempre positivo, es decir, debe haber más síntesis que rotura o desgaste, ya que se precisa una ganancia estructural continua que constituye el crecimiento. Para ello deben ingerirse las cantidades adecuadas con la dieta.

Las proteínas que contienen los alimentos no tienen todas el mismo valor biológico. Las proteínas procedentes de animales (carnes, huevos, leche y derivados) tienen mayor contenido en aminoácidos esenciales y además mayor digestibilidad, por lo que es mayor la absorción por el intestino.

Las proteínas que proceden de los vegetales (cereales y legumbres) son deficientes en aminoácidos esenciales y tienen menor digestibilidad.

Las necesidades de ingesta de proteínas son variables, ya que dependen de la edad y de la calidad de la proteína (animal o vegetal), pero se han dado unas recomendaciones aproximadas:

Primer año de vida

Durante los 6 primeros meses, período de crecimiento rápido, se necesitan ingerir 2,2 g por kg de peso y día de proteínas, es decir, aproximadamente 8 g al día en el primer mes, 10 g por día en el segundo mes, y 13 g por día en los siguientes.

Durante la segunda mitad del primer año (entre los 6 y los 12 meses), las necesidades disminuyen a 1,6 g por kg de peso y día, por lo que sólo son necesarios 14 a 15 g de ingesta diaria.

De 1 a 10 años

Las necesidades de ingesta de proteínas son de 20 g al día en los primeros años, hasta 30 g al día a los 10 años.

Adolescentes

El crecimiento rápido requiere mayores ingestas de proteínas, 45 g al día en las mujeres y entre 45 y 60 g diarios en los varones.

Una cuestión importante es que, de estas necesidades, una parte es de aminoácidos esenciales, es decir, de proteínas de origen animal: en el recién nacido y durante los primeros meses de vida casi la mitad, el 40%, disminuyendo después progresivamente. El adulto sólo precisa que un 20% de sus proteínas se ingieran en forma de aminoácidos esenciales.

El exceso de proteínas en la dieta puede ser perjudicial, ya que las que no se asimilan deben eliminarse por el riñón y pueden provocar sobrecarga de este órgano.

Las proteínas están formadas por aminoácidos y tienen sobre todo una función estructural: forman la mayor parte de células y tejidos. Algunos aminoácidos se llaman esenciales porque necesariamente tienen que ser ingeridos por la dieta, y su carencia causa graves trastornos.

Las proteínas procedentes de alimentos animales (carnes, huevos y leche) tienen mayor contenido en aminoácidos esenciales que las proteínas procedentes de vegetales.

Las proteínas son necesarias para el crecimiento, sobre todo los aminoácidos esenciales, por lo que durante el primer año de vida y durante la adolescencia se precisan mayores aportes.

Durante el primer año de vida se precisan ingerir entre 10 y 15 g diarios de proteínas. En la edad escolar de 20 a 30 g diarios y durante la adolescencia de 45 a 60 g diarios.

Mientras que el niño necesita que casi la mitad (el 40%) de los aportes de proteínas sean en forma de aminoácidos esenciales, en el adulto es suficiente con el 20%.

Necesidades de grasas o lípidos

La mayor parte de las grasas naturales están formadas por triglicéridos o grasas neutras, que contienen ácidos grasos.

Las grasas también tienen una doble función. Por un lado estructural y metabólica formando parte de todos los tejidos corporales, de los sistemas enzimáticos, etc. Por otro lado, son una fuente concentrada de energía, el órgano de protección y aislamiento térmico, el vehículo de las vitaminas llamadas liposolubles, y también contribuyen a hacer los alimentos más agradables al paladar.

Gran parte de la grasa del organismo también puede formarse tomando como precursores a los otros dos macronutrientes, las proteínas y los hidratos de carbono, exceptuando los llamados *ácidos grasos esenciales* que necesariamente tienen que ingerirse con los alimentos. El principal es el *ácido linoleico*. La calidad y proporción de los distintos ácidos grasos, sobre todo los esenciales, son tan importantes o más que el aporte total de grasas.

Se denomina grasa insaturada o poliinsaturada la que contiene un elevado porcentaje de ácidos grasos que tienen dobles enlaces en su fórmula química, mientras que la grasa saturada contiene un pequeño porcentaje de ácidos grasos con dobles enlaces.

En la sangre, la grasa se presenta en diferentes formas: triglicéridos, lipoproteínas, ácidos grasos libres, colesterol, etcétera.

El colesterol desempeña un papel esencial en el metabolismo, aunque su exceso acelera el proceso anormal de oclusión de las arterias que se denomina ateroesclerosis. Al contrario, una clase de ácidos grasos insaturados presentes en los pescados marinos, los omega 3, retrasan el avance de la ateroesclerosis.

Las grasas o lípidos tienen una función metabólica formando parte de células y sistemas enzimáticos. También son una fuente concentrada de energía: cada gramo aporta 9 kcal. Las grasas están formadas por ácidos grasos, algunos de ellos, como el ácido linoleico, se denominan esenciales porque necesariamente se deben ingerir con la dieta. Tan importante como el aporte total de grasas es la proporción de los distintos ácidos grasos, sobre todo los esenciales.

El lactante debe ingerir entre el 35 y 55% de las calorías totales como grasas, y entre el 2 y 3% del aporte calórico total debe ser en forma de ácido linoleico. La fuente principal es la leche.

En el niño y el adolescente la ingesta de grasa se debe reducir al 30–35% de las calorías totales, y al menos una parte de ellas deben ser en forma de grasas y aceites vegetales, más ricos en grasa insaturada o poliinsaturada y, por tanto, en ácido linoleico.

En general, las grasas de origen vegetal tienden a ser más insaturadas que las de origen animal, por tanto, más ricas en ácidos grasos esenciales, y necesariamente deben formar parte de la dieta de niños y adultos.

Las necesidades de lípidos no están tan establecidas como las necesidades de proteínas.

En los lactantes se recomienda que la ingesta de grasas sea de entre el 35 y el 55% de las calorías totales, y entre el 2 y el 3% del aporte calórico total debe ser en forma de ácido linoleico. La fuente principal son las grasas de la leche.

En niños y adolescentes se recomienda que la ingesta de grasas sea relativamente menor, entre el 30 y el 35% de las calorías totales, y que al menos una parte de ella sea en forma de aceites y grasas vegetales.

Cada gramo de grasa aporta 9 kcal.

Necesidades de hidratos de carbono o azúcares

Los hidratos de carbono desempeñan una misión fundamentalmente energética y no se pueden reemplazar por otro tipo de nutrientes. Se clasifican en azúcares simples y azúcares complejos o polisacáridos.

La mayoría de los hidratos de carbono provienen del mundo vegetal, con la excepción de la lactosa, que es el azúcar de la leche. Los azúcares simples (como la glucosa y la fructosa) son abundantes en las frutas y zumos de frutas. Los azúcares complejos (almidón y oligosacáridos) abundan en legumbres y cereales.

El único azúcar que circula por la sangre (en condiciones normales) es la glucosa, por lo que todos los azúcares de la dieta deben transformarse en el hígado en intermediarios o precursores de la glucosa. Los azúcares sobrantes se almacenan en forma de glucógeno.

El organismo siempre intenta mantener constantes los niveles de glucosa en sangre. Cada gramo de hidrato de carbono aporta 4 kcal.

Las necesidades de ingesta de azúcares son muy altas: al ser la principal fuente de energía del organismo, es necesario ingerir entre el 55 y el 60% de las calorías totales en forma de hidratos de carbono.

Durante los primeros meses de vida, la lactosa (el azúcar de la leche) debe ser el único hidrato de carbono que tome el lactante. A partir de los 4 o 5 meses pueden añadirse pequeñas cantidades de dextrino-maltosa y sacarosa, pero la lactosa debe seguir siendo el hidrato de carbono predominante durante toda la infancia.

En el niño y adolescente es importante la ingesta de almidones vegetales (cereales, harinas, pasta y leguminosas) que además de su valor energético aportan fibras reguladoras del tránsito intestinal.

Los hidratos de carbono o azúcares cumplen una misión fundamentalmente energética. Cada gramo aporta 4 kcal. Excepto la lactosa, que es el azúcar de la leche, la mayoría provienen del mundo vegetal. El único azúcar que circula en la sangre es la glucosa.

Las necesidades de ingesta son muy altas: entre el 55 y 60% de las calorías totales se deben ingerir en forma de azúcares. El lactante, durante los primeros meses de vida debe ingerir un solo hidrato de carbono: la lactosa. Durante la niñez y adolescencia, además de lactosa es importante el consumo de legumbres y cereales, que además de azúcares complejos (almidones) aportan fibra para regular el tránsito intestinal.

4

Necesidades de micronutrientes: vitaminas

Necesidades de vitaminas liposolubles

Las vitaminas son un grupo de micronutrientes, es decir, que deben consumirse en pequeñas cantidades pero que, sin embargo, son necesarias para la vida.

Tienen estas características:

- Son diferentes de los macronutrientes (proteínas, grasas e hidratos de carbono).
- Son componentes naturales de los alimentos.
- Dependen del aporte exterior, es decir, no pueden sintetizarse por el organismo.
- Son esenciales para el organismo y su ausencia en la dieta provoca graves trastornos.

Las vitaminas se clasifican en liposolubles, que van unidas a las grasas y se absorben en el intestino junto con ellas, y vitaminas hidrosolubles que como indica su nombre, son solubles en el agua.

Las vitaminas liposolubles son la A, D, E y K.

Vitamina A

La vitamina A es el retinol. Los retinoides o provitaminas A se encuentran tanto en alimentos de origen animal como vegetal. Son ricos en vitamina A: la yema de huevo, la leche, la mantequilla, el hígado de los animales y también las carlotas, espinacas, vegetales de hoja verde y naranja.

Las funciones de la vitamina A están relacionadas con la visión, el crecimiento y la defensa contra las infecciones.

Su deficiencia por ausencia en la dieta puede ocasionar ceguera (por la llamada xeroftalmia), retraso en el crecimiento y mayor facilidad para las infecciones.

Su déficit en la dieta, antes de provocar ceguera, produce dificultad para la visión nocturna. Se mide en equivalentes de retinol o en unidades internacionales. Cada UI es igual a 0,32 microgramos de retinol.

Las necesidades de ingesta son de alrededor de 500 microgramos de retinol al día (1.600 UI al día) en lactantes y niños pequeños, y 1.000 microgramos de retinol al día (3.200 UI diarias) en niños mayores y adolescentes.

Estas necesidades se cubren ampliamente con una alimentación variada. Una zanahoria cruda o 30 g de hígado ya contienen 2.000 microgramos de retinol. Media taza de verduras tipo espinaca, calabaza o melón ya aportan 600 microgramos de retinol.

El mejor aporte es la ingesta natural con una dieta variada. Hay que tener precaución con las ingestas excesivas por tomas de suplementos vitamínicos, ya que pueden producir intoxicación, en ocasiones grave. Los signos de toxicidad son piel seca y con fisuras, vómitos, gingivitis o inflamación de las encías; y en lactantes, aumento del tamaño de la cabeza. La intoxicación aparece con ingestas 1.000 veces superiores a las recomendadas, y siempre se debe a la toma excesiva de suplementos vitamínicos, ya que es casi imposible la toxicidad por causa de la dieta.

Las vitaminas hay que ingerirlas en cantidades pequeñas (micronutrientes) y, sin embargo, son necesarias para la vida. Son componentes naturales de los alimentos. Se clasifican en vitaminas liposolubles (vitaminas A, D, E y K) y vitaminas hidrosolubles.

La vitamina A o retinol es esencial para la visión y para el crecimiento. Su deficiencia puede causar ceguera. Sus necesidades de ingesta son de 500 microgramos (1.600 UI) al día en lactantes y niños pequeños, y 1.000 microgramos (3.200 UI) al día, en niños mayores y adolescentes.

Estas necesidades se cubren ampliamente con una dieta variada. Son ricos en vitamina A la yema de huevo, la leche, la mantequilla, el hígado y numerosos vegetales. La ingesta excesiva en forma de suplementos vitamínicos puede causar intoxicación.

Vitamina D

Es el calciferol. Es la vitamina «de la luz solar». En realidad es una hormona producida en el cuerpo por la acción de la luz ultravioleta sobre la piel, aunque también se ingiere con los alimentos.

Su función es mantener los niveles normales de calcio y los huesos normalmente calcificados.

En el lactante se requieren como ingesta adecuada 10 microgramos al día de calciferol (400 UI ya que 1 microgramo equivale a 40 UI) pero en niños mayores es suficiente con la mitad.

La vitamina D se encuentra naturalmente en productos animales, sobre todo en el hígado de animales terrestres y de pescados, en la mantequilla y en la yema de huevo. La leche es escasa en vitamina D y en ocasiones es necesaria «fortificarla» o añadirle vitamina D, o bien, dar suplementos vitamínicos al lactante que ingiere leche natural.

Así pues, en el lactante, mientras tome leche exclusivamente, se deberán seguir las recomendaciones del pediatra en cuanto a administrarle suplementos de vitamina D.

Después de la época de lactante, con una dieta variada se cubren con creces las necesidades de vitamina D. Sólo será necesario dar suplementos:

- A las personas que no siguen una dieta variada (es decir, exenta de yema de huevo, de hígado y de carne)
- A las personas que no tienen ninguna exposición a la luz solar. Basta una exposición breve, de media hora diaria, de una parte del cuerpo como rostro y brazos, para cubrir las necesidades de vitamina D de un adulto.

La deficiencia en vitamina D causa en los niños, sobre todo en los lactantes, una enfermedad ósea llamada raquitismo, que puede causar deformidades.

El consumo excesivo de vitamina D, en la mayoría de ocasiones por elevada dosificación de suplementos vitamínicos, puede causar una grave intoxicación. Ésta ya aparece con ingestas solamente 3 o 4 veces mayores que las recomendadas, es decir, entre 1.000 y 2.000 UI por día.

Los signos de intoxicación son muy variados: pérdida de apetito (anorexia), náuseas y vómitos, dolor de cabeza (cefaleas), estreñimiento y orinas abundantes (polidipsia) por daño renal.

Es la vitamina en que la toxicidad está más cercana a las dosis necesarias. Es de los muy escasos nutrientes en que es deficitaria la leche humana y es preciso aportar suplementos.

La vitamina D, o calciferol, es necesaria para mantener los niveles de calcio y mineralizar los huesos adecuadamente.

Se encuentra en productos animales, sobre todo en hígado y yema de huevo. La leche, incluso la leche materna, es deficitaria en vitamina D. También se puede producir por la exposición de la piel a los rayos solares. El lactante precisa una ingesta de 10 microgramos (400 UI) al día, y en niños mayores es suficiente la mitad. El lactante que toma leche exclusivamente precisa añadir suplementos, siguiendo las recomendaciones del pediatra. El niño mayor, con dieta variada y con una exposición normal al sol, no precisa tomar suplementos. La elevada ingesta de suplementos vitamínicos puede causar intoxicación. Es la vitamina en la cual la toxicidad está más cercana a la dosis necesaria.

Vitamina E

La vitamina E, o tocoferol, tiene sobre todo funciones llamadas antioxidantes, un sistema de defensa del organismo contra los llamados «radicales libres». Protege contra la anemia hemolítica de los prematuros y contra el llamado «estrés oxidativo» que acelera las enfermedades cardiovasculares y el envejecimiento.

Las recomendaciones de ingesta son de 4 mg diarios en los lactantes (4 UI), 7 mg diarios en el niño escolar (7 UI) y 10 mg diarios en el adolescente (10 UI)

La vitamina E, o tocoferol, tiene funciones metabólicas antioxidantes. Las necesidades de ingesta son de 4 mg (4 UI) diarios en el lactante, 7 mg diarios en el niño escolar y 10 mg (10 UI) diarios en el adolescente. La deficiencia nutricional es muy difícil con una dieta variada, ya que se encuentra abundantemente en productos vegetales, sobre todo aceites.

La vitamina E se encuentra abundantemente en los productos vegetales: aceites vegetales (oliva y girasol), maíz, judías, soja, etc., por lo que es difícil una deficiencia de ingesta si la dieta es variada e incluye alguno de estos productos.

Es una de las vitaminas menos tóxicas aunque se ingiera en grandes cantidades.

Vitamina K

La vitamina K se llama antihemorrágica porque su deficiencia causa déficit en la coagulación de la sangre y hemorragias. Es una filoquinona que se encuentra abundantemente en muchos alimentos: leche, huevos, carnes, vegetales, etcétera.

Las necesidades son de 10 microgramos diarios de ingesta en el lactante, 20 microgramos al día en el niño en edad escolar y 50 a 60 microgramos al día de ingesta en el adolescente. La deficiencia es muy difícil con una dieta variada, ya que un solo huevo ya contiene 20 microgramos, una taza de leche 10 microgramos y un solo espárrago contiene 5 microgramos.

La deficiencia nutricional sólo se observa en enfermedades intestinales que impiden la absorción.

Una excepción es la llamada «enfermedad hemorrágica del recién nacido», una alteración que tiene la posibilidad potencial de presentarse en todos los recién nacidos por inmadurez hepática. Para evitarla, en todas las maternidades, sistemáticamente se administra a todos los recién nacidos, inmediatamente después del nacimiento, una sola dosis de 1 miligramo de vitamina K.

> La vitamina K, llamada antihemorrágica, se encuentra abundantemente en numerosos alimentos animales y vegetales. Con una dieta variada es imposible la deficiencia de vitamina K en niños normales.
>
> A todos los recién nacidos se les administra, después del nacimiento, una sola dosis de vitamina K para evitar la llamada «enfermedad hemorrágica del recién nacido».

Necesidades de vitaminas hidrosolubles

Además de ser solubles en agua, su característica es que no suelen almacenarse en el organismo. Al ser necesarias para el metabolismo se precisa un consumo regular para evitar su deficiencia.

Las vitaminas hidrosolubles son la C, las vitaminas B (B_1, B_2, B_6 y B_{12}), la niacina, el folato, la biotina y el ácido pantoténico.

Describiremos brevemente cada una de ellas, los requerimientos de ingesta y las alteraciones que ocasiona su déficit.

Vitamina C

La vitamina C, o ácido ascórbico, es un sustrato enzimático que interviene, entre otros, en la síntesis de colágeno, que es la proteína de muchos tejidos (óseo, piel, mucosas, etc.). Reacciona con los radicales libres por lo que tiene una función antioxidante.

Abunda en los tejidos vegetales y animales, sobre todo en las frutas frescas. Un vaso (250 ml) de zumo de naranja contiene 75 mg de vitamina C.

Las necesidades de ingesta son de 35 a 40 mg por día en el lactante y un poco más, de 50 a 60 mg diarios en niños y adolescentes, por lo que en nuestro país es difícil la deficiencia dietética.

Su carencia en la dieta ocasiona el escorbuto, con hemorragias y alteraciones óseas. Aparecía antiguamente en las tripulaciones de barcos que navegaban durante semanas o meses sin consumir frutas.

> La vitamina C, o factor antiescorbútico, es necesaria en la síntesis del colágeno. Abunda en vegetales y sobre todo en las frutas. Las necesidades de ingesta son de 40 mg por día en el lactante y de 50 a 60 mg por día en el niño y el escolar. Un vaso (250 ml) de zumo de naranja contiene 75 mg de vitamina C.

Vitamina B_1 o tiamina

Es una coenzima del metabolismo energético, esencial en el metabolismo de los hidratos de carbono.

Está distribuida ampliamente en muchos alimentos (carnes y cereales), por lo que una dieta variada evita su deficiencia.

Las necesidades de ingesta son de 0,4 mg al día en el lactante, 0,8 mg al día en el escolar y de 1,2 a 1,5 mg diarios en el adolescente.

Su deficiencia causa una enfermedad denominada beri-beri, caracterizada por anorexia y por sintomatología neurológica, que antes era frecuente en dietas casi exclusivas de arroz descascarillado.

Vitamina B$_2$ o riboflavina

También actúa como coenzima del metabolismo. Está distribuida también ampliamente por casi todos los alimentos (carnes, leches, vegetales y cereales) por lo que una dieta variada elimina totalmente la posibilidad de déficit.

Las necesidades de ingesta son de 0,5 mg al día en el lactante, 1 mg al día en el niño escolar y 1,5 mg al día en el adolescente.

Vitamina B$_6$ o piridoxina

Sirve de coenzima en el metabolismo de los aminoácidos, los neurotransmisores, etcétera.

Las necesidades son prácticamente idénticas a las de la vitamina B$_2$. También está distribuida ampliamente por todos los alimentos, por lo que es difícil su deficiencia. Un solo plátano ya contiene 0,6 mg de piridoxina, y 100 g de hígado contienen 0,9 mg.

Vitamina B$_{12}$ o cobalamina

Es una coenzima en muchas reacciones celulares. Las necesidades son de sólo 0,5 microgramos al día en el lactante, 1 microgramo al día en el escolar y 2 microgramos al día en el adolescente.

La diferencia con las anteriores es que se encuentra en alimentos de origen animal, pero no en vegetales. Aunque una dieta variada evita la deficiencia, las dietas vegetarianas estrictas son deficitarias en vitamina B$_{12}$. La deficiencia causa varios trastornos, entre ellos, anemia megaloblástica.

> Las vitaminas del grupo B (B$_1$, B$_2$, B$_6$ y B$_{12}$) actúan como coenzimas en el metabolismo. Están distribuidas ampliamente en muchos alimentos y con una dieta variada es casi imposible su deficiencia. Las dietas vegetarianas estrictas son deficitarias en vitamina B$_{12}$.

Niacina

Se denomina así a la nicotinamida y al ácido nicotínico. Es una coenzima que está en todas las células. Los lactantes precisan una ingesta de 5 a 6 mg al día, los niños de 10 a 12 mg al día y los adolescentes de 15 a 20 mg diarios.

Se encuentra en cantidades importantes en muchos alimentos de origen animal y vegetales. La dieta variada elimina la posibilidad de deficiencia.

Su déficit ocasiona la pelagra, caracterizada por dermatitis, diarrea y demencia (las tres d), que antiguamente era frecuente en dietas con base casi exclusivamente de harinas de maíz.

Folato y ácido fólico

Actúan como enzimas en el metabolismo de los aminoácidos. El lactante precisa una ingesta de 60 microgramos al día, el niño escolar de 100 microgramos al día y el adolescente 200 microgramos al día. Se encuentra en casi todos los alimentos vegetales o animales.

Su déficit ocasiona anemia y alteraciones dermatológicas.

La embarazada precisa un suplemento especial diario que debe empezar desde el mismo momento del embarazo, 800 microgramos diarios, para prevenir ciertas alteraciones del feto (defectos del tubo neural).

Biotina y ácido pantoténico

Están en todos los tejidos animales y vegetales, por lo que es muy difícil su deficiencia. Las necesidades de ingesta son las siguientes:

Biotina: 10-15 microgramos/día en lactantes, 20-25 microgramos/día en el niño y alrededor de 50 microgramos/día en el adolescente.

Ácido pantoténico: 2 a 3 mg al día en lactantes, 4 a 5 mg al día en niños y 6 a 7 mg al día en adolescentes.

La niacina, el ácido fólico, la biotina y el ácido pantoténico se encuentran en casi todos los alimentos de origen tanto animal como vegetal, por lo que con una dieta variada es casi imposible su deficiencia.

Las embarazadas precisan desde el mismo momento del embarazo un suplemento diario de 800 microgramos al día de ácido fólico para prevenir defectos del tubo neural del feto.

5

Necesidades de micronutrientes: minerales y oligoelementos

Los minerales forman parte de los huesos, de los dientes, de los líquidos orgánicos y son parte importante del metabolismo. Hay algunos (macrominerales) de los que se precisa ingerir más de 100 mg al día (como el calcio o el fósforo), mientras que otros (microminerales u oligoelementos) se necesitan sólo en cantidades pequeñas.

La mitad del mineral del organismo es calcio, el 25% fósforo y el restante 25% otros minerales y oligoelementos (sodio, potasio, magnesio, hierro, flúor, etc.).

Calcio

El calcio es el mineral más abundante del organismo y es el componente más importante del esqueleto. Su metabolismo va unido al de la vitamina D, y para una calcificación normal del esqueleto, sobre todo en la época de máximo crecimiento (primera infancia y adolescencia), es necesaria la ingesta adecuada y simultánea de los dos nutrientes.

La ingesta adecuada es de 600 mg al día en el lactante, 800 mg al día en el niño y 1.200 mg al día en el adolescente.

Las fuentes de calcio son fundamentalmente la leche y sus derivados (yogur y queso), aunque también los vegetales y el pescado. Medio litro de leche contiene 600 mg de calcio y un yogur, 100 mg.

Su deficiencia dietética, sola o combinada con déficit de vitamina D, provoca déficit de mineralización ósea, llamada raquitismo en el niño y osteopenia u osteomalacia en el adulto.

Fósforo

El fósforo, además de ser un componente del esqueleto, forma parte de funciones metabólicas importantes. Las necesidades diarias de fósforo son casi idénticas a las del calcio.

Son alimentos ricos en fósforo las carnes, los pescados, los huevos, la leche, etc. Está tan ampliamente distribuido en los alimentos que la deficiencia dietética es casi imposible.

Sodio, cloro y potasio

Existen como iones en todos los líquidos corporales y juegan un papel importante en el equilibrio hidroelectrolítico.

El cloro y el sodio forman la sal común (cloruro sódico), y su consumo excesivo se ha relacionado con la hipertensión arterial, por lo que hay que evitar añadir excesiva sal a los alimentos.

Hierro

El hierro es importante porque forma parte de la sangre y su deficiencia causa anemia.

En el niño, conforme crece va aumentando la cantidad de sangre total que posee, y para formarla se precisa hierro. En períodos de crecimiento rápido (primera infancia y adolescencia), si no se ingiere suficiente cantidad de hierro se produce menos sangre, apareciendo anemia.

Las necesidades de ingesta de hierro son de 6 mg al día en el primer semestre de vida, 10 mg al día en la segunda mitad del primer año y durante la infancia, 12 mg al día en el adolescente varón y algo más, 16-18 mg diarios en las mujeres adolescentes, para cubrir las pérdidas de sangre menstrual.

Los alimentos más ricos en hierro son las carnes magras, sobre todo el hígado. También está en legumbres y en pescados, pero con menor biodisponibilidad. La leche y sus derivados son alimentos con escaso hierro, por lo que una alimentación excesivamente láctea a partir de los 6 meses de vida puede conducir a un déficit de hierro.

El recién nacido a término, es decir después de una edad gestacional normal, nace con reservas de hierro, que se consumen alrededor de los 5 meses. Por esto, a partir de esta edad es necesario introducir carnes y legumbres en la alimentación del niño.

La leche materna también tiene escaso hierro, por lo que en ocasiones el pediatra recomienda suplementos con gotas de hierro.

El recién nacido prematuro nace ya con escasas reservas de hierro, y en estos niños son más necesarios los suplementos con gotas de hierro.

El calcio es el mineral más abundante en el organismo, su metabolismo va unido al de la vitamina D y es necesario para la calcificación ósea. La fuente de calcio es la leche y derivados. Las necesidades son de 600 mg al día en el lactante, 800 mg al día en el niño y 1.200 mg al día en el adolescente. Medio litro de leche tiene 600 mg de calcio.

Las necesidades de ingesta de fósforo son casi idénticas a las del calcio, pero está abundantemente en muchos alimentos y su deficiencia es casi imposible.

El consumo excesivo de sal común (cloruro sódico) tiene relación con la hipertensión arterial, por lo que hay que evitarlo.

El hierro es necesario para producir la sangre. Para evitar la anemia el lactante necesita ingerir entre 6 y 10 mg de hierro diarios, el niño 10 mg diarios y el adolescente 12 mg el varón y entre 16 y 18 mg la mujer (por las pérdidas menstruales).

El hierro se encuentra sobre todo en las carnes. La leche es muy pobre en hierro. Las carnes y legumbres se deben introducir en la alimentación del lactante después del 5º mes. En muchos niños es necesaria la complementación de la alimentación con gotas de hierro.

Otros minerales y oligoelementos

Un aporte suficiente y equilibrado de numerosos minerales y oligoelementos es imprescindible para el correcto funcionamiento del organismo, pero sería engorroso describirlos todos. Citaremos brevemente unos pocos.

Cinc

El cinc va unido a funciones metabólicas relacionadas con el crecimiento. Las necesidades diarias son de 5 mg en el lactante, 10 mg en el niño y 15 mg en el adolescente.

Yodo

Forma parte de las hormonas tiroideas, imprescindibles para el crecimiento y el metabolismo. Sus necesidades son mínimas, microgramos. Se encuentra sobre todo en productos marinos. Su déficit causa el bocio o cretinismo endémico, que consiste en un aumento de tamaño de la glándula tiroidea. Antiguamente, el bocio era frecuente en zonas geográficas aisladas en el interior de la península, ya que sus aguas, alejadas del mar, contenían muy escasa cantidad de yodo.

Flúor

El flúor ayuda a mantener la salud dental. Se precisa una ingesta mínima pero adecuada, para evitar la caries. Habitualmente, las aguas de consumo están fluorizadas, es decir, contienen entre 0,6 y 1 mg de flúor por litro, que elude la deficiencia y evita la necesidad de tomar suplementos. Las aguas minerales embotelladas también suelen contener esta mínima cantidad necesaria de flúor.

El lactante precisa la ingesta de 0,25 a 0,5 mg diarios de flúor, es decir, el contenido de medio litro de agua. El niño y el adolescente precisan entre 1 y 2 mg de flúor al día.

Otros oligoelementos

La mejor protección contra el déficit de ingesta de los numerosos oligoelementos restantes es una dieta variada, con la que tendremos la seguridad de ingerirlos todos en la cantidad adecuada.

Exceptuando el primer año de la vida, en el que la alimentación es especial y totalmente reglada, el niño mayor debe incluir en su dieta diaria, para que sea variada, al menos un producto de los seis grandes grupos de alimentos, sobre todo de los cinco primeros:

- Grupo primero: cereales y derivados (arroz, pan, pastas), al que se añade la patata.
- Grupo segundo: verduras y hortalizas.
- Grupo tercero: frutas.
- Grupo cuarto: grupo de las proteínas (carnes, pescados, huevos y legumbres)
- Grupo quinto: leche y derivados (yogur, queso)
- Grupo sexto: grasas, aceites y dulces.

La mejor protección frente a la deficiencia de ingesta de minerales y oligoelementos es una dieta variada.

Durante el primer año de vida, la alimentación es especial, pero después del año la alimentación es variada y el niño debe incluir en su dieta diaria al menos uno de los alimentos incluidos en cada uno de los seis grupos principales de alimentos, sobre todo de los cinco primeros: cereales y derivados, verduras y hortalizas, frutas; grupo de las proteínas (carnes, pescados, huevos, legumbres); y grupo de la leche y derivados.

6

Grupos de alimentos y guías alimentarias

Los nutrientes necesarios para la vida y para el crecimiento se encuentran en los alimentos. No existe ningún alimento completo, es decir, que proporcione todos los nutrientes, con la excepción de la leche materna para el recién nacido y el lactante en los primeros meses de vida. Por lo tanto, los alimentos se dividen en grupos formados por alimentos que tienen una composición de nutrientes muy similar. Unos grupos de alimentos serán ricos en unos determinados nutrientes, pero serán deficitarios en otros.

La alimentación adecuada del niño y del adulto debe incluir todos los nutrientes necesarios. Para cumplir este objetivo necesariamente será *variada*, es decir, incluir alimentos de todos los grupos para compensar los nutrientes. También debe ser *equilibrada*, o sea, se tomará más cantidad de los grupos de alimentos ricos en los nutrientes que se precisan en más cantidad.

Desde un punto de vista funcional, los alimentos pueden ser:

• *Alimentos energéticos*: son los que proporcionan los nutrientes que se «queman», se metabolizan para formar energía. Son los alimentos ricos en hidratos de carbono y en grasas.

• *Alimentos plásticos*: son los que contienen los nutrientes que forman parte de la estructura del cuerpo humano y que necesitan reponerse continuamente. En el caso del niño, se precisan además para el crecimiento, que es la formación de más estructuras. Son las proteínas, el calcio y el hierro, entre otros.

• *Alimentos reguladores*: son los que contienen nutrientes muy importantes, como vitaminas y oligoelementos.

Grupos de alimentos

Todos los alimentos, según el tipo de nutriente que contienen en mayor cantidad, se pueden dividir en 6 grandes grupos:

1.º Cereales y derivados

Comprende los cereales comestibles, sobre todo trigo, arroz y maíz; y los productos derivados: pan, pasta, fideos, galletas, arroces, etc. Junto con un tubérculo, la patata, son la fuente más importante de hidratos de carbono complejos, es decir, almidones, que son la principal fuente de energía y el grupo de alimentos que más deben consumirse.

Deben, pues, formar la base de la alimentación, la base de la pirámide alimentaria, y consumirse en todas las comidas.

Tienen un gran contenido calórico. Su contenido en proteínas es bajo, pero al consumirse en cantidades elevadas, las cantidades de proteínas ingeridas no son despreciables.

Su contenido en grasa es bajo, y la que contienen es del tipo insaturado, lo cual es beneficioso para la salud. También es saludable su contenido en fibra.

También contienen vitaminas, sobre todo las del grupo B, y minerales.

2.º Verduras y hortalizas

Son vegetales de los que algunos son comestibles la hoja (lechuga, acelga, espinacas), otras el fruto (tomates, pimientos), otras las raíces (cebollas, zanahoria, rábanos), e incluso en otras la flor (alcachofas).

Tienen escasos macronutrientes, pero son importantes en la alimentación por dos componentes:

• Las vitaminas y los minerales. Sobre todo son ricos en carotenos y folatos. Estas dos vitaminas están casi ausentes en los otros grupos alimenticios, por lo que si no se consumen diariamente alimentos de este grupo, la dieta puede resultar carencial.
• La fibra, que regula el tránsito intestinal y evita el estreñimiento.

3.º Frutas

Algunas contienen hidratos de carbono, aunque simples, menos convenientes que los complejos. Algunas, como el aguacate, tienen ácidos grasos insaturados muy saludables.

Su valor nutritivo radica en su riqueza en vitamina C, y su abundancia en fibra de tipo soluble que regula el tránsito intestinal.

4.º Alimentos proteicos

Es el grupo de las carnes, pero incluye también pescados, huevos y legumbres (lentejas, garbanzos, guisantes, judías). Aportan sobre todo proteínas, que es el nutriente formador o plástico por excelencia, pero también otros nutrientes muy importantes como hierro, cinc y vitaminas del grupo B.

Las carnes más convenientes son las magras, con menos contenido en grasa, pollo y ternera. La grasa de la carne es saturada, muy poco saludable y hay que evitarla.

Hay que evitar las carnes grasas como el cerdo, los embutidos, así como las vísceras tipo sesos y criadillas.

El hígado, en cambio, es un excelente alimento, rico en proteínas, hierro y vitaminas, y con poca grasa.

El pescado es un alimento muy sano, ya que aunque su proteína es menor que la de las carnes, su grasa es insaturada, más sana que la grasa saturada de las carnes. Además es fuente de yodo, cinc y vitaminas.

Los mariscos no representan ninguna ventaja nutricional sobre los pescados. Tienen el inconveniente de un elevado contenido en ácido úrico y en colesterol.

El huevo es un excelente alimento, ya que aporta proteínas, minerales y ácidos grasos. Tiene un exceso de colesterol, por lo que no conviene su consumo excesivo.

Las legumbres son alimentos excelentes que aportan proteínas, grasa insaturada, hierro, fibra y vitaminas. Alternándolas (un día lentejas, otro garbanzos, guisantes, etc.) deben estar en la dieta diaria.

5.º Leche y derivados

La leche es un alimento excelente pues aporta energía, por la lactosa y la grasa, proteínas, vitaminas liposolubles, y sobre todo es la fuente más importante de calcio. Carece de hierro.

Sus derivados (yogur, queso), tienen los mismos nutrientes, aunque en proporciones diferentes, que resumiremos brevemente:

- El *yogur natural* tiene la misma cantidad de energía que la leche entera. Presenta un poco más de proteínas y un poco menos de grasa que aquélla. También es algo más rico en calcio: la leche entera tiene 120 mg de calcio por 100 g, mientras que el yogur tiene 140 mg de calcio por 100 g.
- El *queso de Burgos* contiene entre 4 y 5 veces más energía, proteínas y grasa que la leche entera y el yogur, es decir, que 50 g de queso equivalen a 200-250 g de leche. Su contenido en calcio es de 186 mg por cada 100 g.
- El *queso de bola* y el *queso manchego* tienen entre 6 y 7 veces más energía, proteínas y grasas que la leche entera, o sea, que 50 g de estos quesos equivalen en energía, proteínas y grasa, a 300-350 g de leche entera.
  El contenido en calcio es muy elevado, 760 mg por cada 100 g. Es decir, 100 g de estos quesos suman el mismo calcio que 650 g de leche entera de vaca.

6.º Grasas, aceites y dulces

Este grupo acumula un elevado valor energético y no hay que consumirlo en exceso. Hay dos tipos fundamentales de grasas:

- *Grasas saturadas*. Son las menos sanas, ya que ingeridas en exceso favorecen la ateroesclerosis. La ateroesclerosis es la degeneración –obstrucción de la luz de las arterias que en el adulto causa graves enfermedades, como isquemia de las arterias coronarias (angina de pecho, infarto de miocardio) o de las arterias cerebrales (ictus o accidente vascular cerebral).
  Las grasas saturadas son las de la carne, el jamón, los embutidos, la mantequilla y la margarina. También hay algunos aceites vegetales que favorecen la ateroesclerosis: son los aceites de coco y de palma usados en la fabricación de la bollería industrial. Hay que evitarla y consumir el mínimo posible.

- *Grasas insaturadas*: Son las grasas sanas. Las de los pescados y de los aceites de girasol, de maíz y de soja. El aceite de oliva también es cardiosaludable, tiene muy buen sabor y se produce en nuestro país.

• *Los dulces* (tartas, pasteles, golosinas, helados, etc.) tienen grasas saturadas y azúcares simples, por lo que hay que evitarlos o consumirlos el mínimo posible.

Ningún alimento proporciona todos los nutrientes, excepto la leche materna en los primeros meses de vida.

Para una correcta nutrición, la alimentación tiene que ser variada y equilibrada.

Los alimentos se dividen en grupos según los tipos de nutrientes que tienen en mayor cantidad. Los alimentos de cada grupo tienen una composición similar.

El *primer grupo* es el de *cereales y derivados*: pan, pastas, fideos, arroz, etc. Junto a un tubérculo, la patata, son la base de la alimentación, ya que contienen la principal fuente de energía, los hidratos de carbono complejos.

Segundo grupo. Verduras y hortalizas. Son los vegetales ricos en fibra, minerales y en algunas vitaminas de las que carecen otros grupos.

Tercer grupo. Frutas. Ricas en fibra y en vitamina C.

Cuarto grupo. Alimentos proteicos. Incluyen carnes, pescados, huevos y legumbres. Aportan proteínas, hierro y vitaminas.

Quinto grupo. Leche y derivados. Aportan energía, proteínas y calcio.

Sexto grupo. Grasas, aceites y dulces. Hay que distinguir: las grasas saturadas, que hay que evitar, y que son las grasas animales y los aceites de coco y de palma usados en la bollería industrial, de las grasas insaturadas, que son las sanas, y que contienen el pescado y los aceites de oliva, girasol, maíz y soja. Hay que evitar dulces, pasteles y golosinas.

Guías alimentarias y pirámide de alimentos

En cada país, los expertos en alimentación han elaborado tablas de composición alimenticia, en las que se detallan todos los nutrientes que contiene cada alimento, habitualmente expresado en gramos o miligramos del nutriente por 100 g del alimento.

En estas tablas se tienen en cuenta la porción comestible y la porción digerible.

La porción comestible, o peso ajustado, es el porcentaje del peso del alimento bruto que realmente se ingiere. Por ejemplo, de las frutas normalmente se desecha la piel y las semillas, y cuando en una tabla se indican los nutrientes que contienen 100 g de una fruta determinada, se entiende ya limpia y desechada la parte no comestible.

De esta porción comestible también se tiene en cuenta la parte que realmente se digiere, es decir, la biodisponibilidad, lo que entra ciertamente en el cuerpo a través del intestino.

Las guías alimentarias elaboran unas indicaciones prácticas sobre qué alimentos y en qué cantidad hay que ingerir diariamente. Tienen en cuenta, por un lado, las necesidades nutritivas a cada edad y, por otro lado, el contenido en nutrientes de cada alimento.

La guía alimentaria presentada de la forma más sencilla y comprensible es la guía pirámide de los alimentos. Se trata de una pirámide en la que la base la constituyen los alimentos que hay que consumir diariamente en mayor cantidad, concretamente el grupo de cereales y derivados. Conforme se asciende hay que consumir menos cantidad diaria de los alimentos que se encuentran en cada nivel.

Después de la base de los cereales, el primer plano está ocupado por los alimentos que le siguen en cantidad de consumo diario. Aquí hay dos grupos de alimentos, las verduras y las frutas.

El piso siguiente está ocupado por alimentos que hay que consumir diariamente, pero en menor cantidad. También existen dos grupos de alimentos en este nivel, los alimentos proteicos y la leche y sus derivados.

El último piso o cúspide de la pirámide está ocupado por los alimentos que hay que tomar en menor cantidad, o incluso evitar su consumo: son las grasas, aceites y dulces.

Debido a que el contenido en nutrientes es similar en los alimentos de cada grupo, pero muy diferente al de otros grupos, los alimentos de un grupo se pueden intercambiar entre sí, pero no pueden reemplazar a los de otro grupo. Si a un niño no le gusta el queso, no es necesario que lo coma, siempre que consume diariamente alimentos del mismo grupo, leche o yogur. Si a un niño no le gusta una fruta o una verdura determinada, no hace falta que la coma, siempre que se sustituya por otra. Pero no puede sustituirse por leche, porque pertenece a otro grupo.

Ningún grupo es más importante que otro, pero es necesaria la variedad y el equilibrio. Variedad es consumir diariamente alimentos de todos los grupos.

Equilibrio es consumir más cantidad de alimento cuanto más bajo esté en la pirámide.

La cantidad de alimentos se mide en porciones. Cada porción se puede intercambiar por otra porción de alimento del mismo grupo, ya que los nutrientes que contiene son similares.

En las tablas de composición de alimentos se detallan los nutrientes que contiene cada alimento.

Las guías alimentarias elaboran indicaciones prácticas para la dieta diaria teniendo en cuenta las necesidades de nutrientes a cada edad y la composición nutritiva de cada alimento.

La guía alimentaria más conocida se presenta en forma de guía pirámide de alimentos.

En la base de la pirámide están los alimentos que hay que tomar en mayor cantidad: el grupo de cereales y derivados.

En el primer nivel de la pirámide están los alimentos que le deben seguir en cantidad de consumo diario. Hay dos grupos, las verduras y las frutas.

En el piso siguiente también hay dos grupos: proteínas y lácteos.

En la cúspide de la pirámide está el grupo de alimentos que hay que evitar o consumir en mínima cantidad: grasas, aceites y dulces.

La cantidad de alimentos se mide en porciones. En cada grupo de alimentos se pueden intercambiar las porciones, pero no pueden reemplazar a alimentos de otro grupo, ya que la composición de nutrientes es diferente.

La dieta debe ser variada (tomar alimentos de todos los grupos diariamente) y equilibrada (tomar más cantidad de alimentos de los grupos de la base de la pirámide).

De manera muy aproximada, al año de edad los platos, las porciones, son de alrededor de la tercera parte del plato o de la porción de un adulto, y a los tres años de edad las porciones, o platos, son de alrededor de la mitad de la del adulto.

Pirámide de alimentos para niños de 2 a 6 años de edad

Aunque todas las guías pirámide son muy similares cualitativamente, en los niños varía con la edad la cantidad de alimento, el número de porciones.

Especificamos la cantidad de alimento que entra en cada porción para niños de 4 a 6 años de edad. Los niños de 2 a 4 años tienen suficiente con las dos terceras partes de las cantidades que se indican.

- *Grupo de cereales*: una porción la constituyen 30 g de cereales en copos para el desayuno, o una rebanada de pan o medio tazón de arroz o de pasta ya cocinados.

- *Grupo de verduras*: una porción la constituye un tazón de verduras crudas tipo ensalada, o medio tazón de verduras cocidas.

- *Grupo de frutas*: una porción la constituye una pieza de fruta (naranja, manzana, pera), un vaso de zumo de fruta o medio tazón de macedonia (fruta cortada a trocitos).

- *Grupo de proteínas*: una porción la constituye 50 g de carne magra (sin grasa) ya cocinada (pollo, ternera o pescado), o medio tazón de legumbres ya guisadas (lentejas, guisantes). Un huevo cuenta como media porción.

- *Grupo de lácteos*: una porción es un vaso, 250 g de leche entera de vaca, la misma cantidad de yogur natural, o 60 g de queso (preferible del tipo de Burgos).

- *Grupo de grasas y dulces*: debe evitarse o consumirse el mínimo posible. El aceite vegetal ya va incluido en la cocción o en el aliño de las verduras.

El niño de 4 a 6 años debe ingerir diariamente:

- 6 porciones de cereales (base de la pirámide).
- 3 porciones de verduras y 2 porciones de fruta (primer piso de la pirámide).
- 2 porciones de leche y 2 porciones de proteínas (segundo nivel de la pirámide).

Los menús concretos se detallan en otro capítulo del libro.

Los niños de 2 a 4 años de edad necesitan aproximadamente las dos terceras partes de las cantidades expuestas para niños de 4 a 6 años.

Los niños de 4 a 6 años necesitan ingerir diariamente 6 porciones de cereales, 3 porciones de verduras, 2 porciones de frutas, 2 porciones de leche y 2 porciones de proteínas.

Los niños de 2 a 4 años precisan las dos terceras partes de las cantidades indicadas para niños de 4 a 6 años.

Hay que eliminar o reducir al máximo el grupo de grasas y dulces.

Pirámide de alimentos para adolescentes y adultos

Las porciones de alimentos son iguales a las expuestas para todos los grupos, excepto para el grupo de proteínas, en que cada porción aumenta a 80-90 g de carne magra ya cocinada, equivalente a 1 tazón de legumbres ya cocinadas. Un huevo pasa a ser sólo un tercio de ración.

Las cantidades, el número de raciones pasa a ser la siguiente:

- *Cereales* de 6 a 11 porciones.
- *Verduras* de 3 a 5 porciones.
- *Frutas*, 3 porciones.
- *Proteínas* de 2 a 4 porciones.
- *Leche y derivados* de 2 a 3 porciones, excepto en el período de crecimiento rápido del adolescente, en que se precisan 4 porciones.
- *Grasas y dulces*. Continuar con la mínima cantidad posible.

También existe una guía pirámide de dieta mediterránea adaptada a niños. Es conocido que la dieta mediterránea consiste fundamentalmente en aumentar el consumo de legumbres, pescado y aceite de oliva y disminuir el consumo de carnes.

Adaptada a los niños la pirámide de dieta mediterránea recomienda consumir diariamente cantidades importantes de cereales, patatas, pasta, arroz, frutas, hortalizas, legumbres, aceite de oliva, leche, queso y yogur.

No diariamente, pocas veces a la semana, se consumirán pescados, aves y huevos. Lo que más se restringe son las carnes rojas, una sola vez a la semana.

En la guía pirámide de alimentos para adolescentes y adultos las porciones son iguales que las de los niños, excepto el grupo de proteínas que pasa a ser de 80-90 g de carne la porción.

En el adolescente y el adulto se precisan diariamente: de 6 a 11 porciones de cereales, de 3 a 5 porciones de verduras, 3 porciones de frutas, de 2 a 4 porciones de proteínas y de 2 a 4 porciones de lácteos.

Existe una guía pirámide de dieta mediterránea adaptada para niños.

Segunda parte:
Alimentación durante el primer año de vida

7

Alimentación del recién nacido normal: lactancia materna

El feto se nutre de la madre a través de la placenta. El recién nacido interrumpe bruscamente este aporte, que tiene que sustituirse por la alimentación a través del tubo digestivo.

El recién nacido tiene inmaduros la mayoría de sus órganos (intestino, riñón, hígado, etc.), por lo que la transición debe ser suave y la alimentación muy cuidadosa.

El objetivo de la nutrición neonatal es el aporte de la energía y de los nutrientes que se precisan para el crecimiento y el desarrollo, sin exceder la capacidad de estos órganos inmaduros. La leche de la madre, la lactancia materna, es el alimento de elección en todos los recién nacidos.

Ventajas de la lactancia materna

Con la lactancia materna todo son ventajas para el recién nacido y para la madre. Los motivos de su superioridad sobre la alimentación artificial con biberón son los siguientes:

Superioridad nutritiva

La leche materna tiene la composición ideal de energía y nutrientes que precisa el recién nacido y lactante, y además contiene sistemas enzimáticos para su mejor digestión y absorción. La leche materna incluso es cambiante para adaptarse a las necesidades nutritivas, no sólo para cada edad del niño, sino incluso a lo largo del día para la instauración de un adecuado nivel del apetito.

En el niño alimentado con biberón (lactancia artificial) hay un nivel de saciedad más elevado, con una ingestión mayor de alimento y con mayores posibilidades de generarse obesidad en edades posteriores.

Por ello, el niño alimentado con lactancia materna toma sólo la cantidad de nutrientes que precisa para el adecuado crecimiento y desarrollo, pero no más de lo necesario. Esto explica que con la lactancia artificial (biberón) se puede conseguir un aumento de peso más rápido, aunque la composición de los tejidos es más adecuada con la lactancia materna.

Así pues, no se le puede asegurar a la madre que con la lactancia materna el niño aumentará más rápidamente de peso que con lactancia artificial. Al contrario, lo habitual es que aumente más lentamente, pero más adecuadamente.

Superioridad inmunológica

La leche materna contiene todo un sistema defensivo inmunitario, incluyendo inmunoglobulinas y células vivas, que protege al niño contra las infecciones.

Los niños alimentados con lactancia materna sufren menos infecciones gastrointestinales y respiratorias que los niños alimentados con lactancia artificial (biberón)

Este efecto protector contra las infecciones es mayor cuanto más prolongado es el tiempo de lactancia materna. Es tan importante este aspecto que justifica por sí mismo todos los esfuerzos para la promoción de la lactancia materna en todas las embarazadas.

Protección de alergias

La lactancia materna protege de las enfermedades alérgicas cuando se da de manera exclusiva, es decir, sin añadir absolutamente ningún otro alimento, por lo menos, durante los primeros meses de vida.

Existe menor riesgo de sensibilización porque el intestino inmaduro del neonato y del lactante recibe unas proteínas «homólogas», es decir, humanas, y no proteínas vacunas que son las que se ingieren con la lactancia artificial.

La leche materna carece de compuestos sintéticos, de conservantes y de aditivos artificiales. Está siempre disponible, a la temperatura adecuada y no está contaminada.

Superioridad psicológica

La lactancia materna es fuente de importantes vínculos afectivos madre-hijo, de gran importancia para la maduración psíquica y emocional del niño. Durante la tetada existe un contacto físico madre-hijo que es fuente de satisfacción afectiva.

La lactancia materna es el alimento de elección para todos los recién nacidos y lactantes. Las ventajas de la lactancia materna son:

– Superioridad nutritiva: tiene la composición ideal en energía y nutrientes para las necesidades del niño.

– Superioridad inmunológica: los niños alimentados con lactancia materna tienen menos infecciones gastrointestinales y respiratorias.

– Protección contra las alergias: siempre que sea lactancia materna exclusiva (sin dar ningún otro alimento) y durante varios meses.

– Superioridad psicológica: aumenta los vínculos afectivos madre-hijo.

Promoción de la lactancia materna

En nuestro país todavía no se ha conseguido alcanzar el porcentaje de recién nacidos y lactantes criados exclusivamente con lactancia materna en los países más desarrollados y con menor mortalidad infantil del mundo: estos son los países escandinavos, que alcanzan cifras cercanas al 100%.

Dadas sus ventajas es necesario aumentar la proporción de madres que optan por la lactancia natural para sus hijos, en este sentido se han propuesto unos pasos fundamentales.

1.º Información adecuada

Es necesario informar a todas las embarazadas y a sus familias de los beneficios de la lactancia materna para conseguir la predisposición inicial de la madre antes del parto. Debe concienciarse, en primer lugar, todo el personal sanitario, que debe ser propagandista y educador en lactancia materna.

2.º Ayuda a las madres

Debe alentarse a las madres a iniciar la lactancia materna muy pronto después del parto, a partir de la media hora. Este estímulo muy precoz de la succión sobre el pezón inicia la secreción láctea, estimula la «subida de la leche».

Debe enseñarse a las madres la postura correcta para amamantar al bebé, los tiempos de alimentación, cómo mantener la lactancia, etc.

Debe asegurarse el contacto, la cohabitación (*rooming-in*) de la madre y el hijo durante las 24 horas del día.

3.º Exclusión de otros alimentos

Es esencial no suministrar a los recién nacidos ningún otro alimento ni bebida, ni suero glucosado, ni biberón, salvo el pecho de la madre, a no ser que exista alguna indicación médica específica.

Tampoco deben darse al niño chupetes ni tetinas, por lo menos durante las primeras semanas de vida.

Un punto muy importante es informar a la madre de que durante los primeros 2 a 3 días tras el parto, la producción de leche va a ser escasa. Pero esta primera leche, llamada calostro, a pesar de su pequeña cantidad es suficiente para las necesidades del neonato. No se precisan suplementos ni de suero glucosado, ni de agua, ni de biberones.

Es necesaria la promoción de la lactancia materna para alcanzar los altos porcentajes de lactancia natural de los países más desarrollados.

Se debe facilitar información respecto a las ventajas de la lactancia materna a todas las embarazadas y a sus familias.

Se debe alentar, ayudar y enseñar a todas las madres a iniciar la lactancia materna muy pronto, a partir de la media hora después del parto.

Para que se establezca adecuadamente la lactancia materna, es fundamental la exclusión total de otros alimentos y bebidas: el recién nacido no precisa ni suero glucosado, ni agua, ni biberón, si se inicia muy precozmente la lactancia materna.

El calostro, a pesar de su escasa cantidad, es suficiente para las necesidades del neonato en los primeros días hasta que se produzca la «subida de la leche».

Técnica de la lactancia materna

Como todas las actividades humanas, la lactancia materna requiere una técnica que debe aprenderse y enseñarse. Si no es correcta puede hacer fracasar la lactancia. Los puntos fundamentales son los siguientes:

1.º Confianza

Se debe alentar e infundir a la madre la confianza de que va a ser capaz de alimentar a su hijo al pecho.

2.º Ambiente

Se debe dar el pecho en un ambiente tranquilo, sin ruidos y sin luz intensa que puedan molestar al bebé. La postura de la madre debe ser muy cómoda, tranquila y relajada.

3.º Postura

El cuerpo del niño debe estar de cara a la madre, ombligo frente a ombligo, con el cuerpo y la cabeza alineados. Para que la succión del niño sea cómoda, no debe estar en postura forzada, es decir, no debe estar obligado a flexionar o rotar su cabeza para encarar el pezón.

La madre mantiene el pecho entre los dedos de la mano (del brazo que no sostiene al niño), orientando el pezón por el apoyo del dedo, procurando que quede libre toda la areola mamaria, y sin apretar excesivamente. El niño abre la boca al rozar sus labios el pezón: es el llamado reflejo de búsqueda.

La madre acerca al niño a la mama moviendo todo el cuerpo con el brazo con el que lo sujeta. No es correcto empujar y acercar sólo la cabeza del niño, porque se flexiona y se pierde la alineación entre la cabeza y el cuerpo.

Si se empuja sólo la cabeza hacia el pecho, el niño tiene el reflejo de arquear la espalda, separándose de la mama y dando la falsa impresión de que la rechaza, cuando no es así.

4.º Tiempo y horarios

Es esencial ponerse al niño al pecho lo más rápidamente posible después del parto, para iniciar y estimular la secreción láctea.

Debe alternarse la mama que se ofrece en primer lugar. Es decir, se debe empezar por el último que tomó la vez anterior. Las tetadas no deben durar excesivamente. Bastan inicialmente de 5 a 7 minutos en el primer pecho. Al vaciarlo aceptará mejor el segundo, de forma que se estimulan los dos. Gradualmente se aumentarán los tiempos de tetada, hasta alcanzar 10 minutos por mama, aproximadamente.

La prolongación excesiva de la tetada provoca la aparición de grietas en el pezón y puede aumentar la aerofagia (ingestión de aire).

Inicialmente las tomas se deben hacer «a demanda», es decir, sin horario fijo y dándolo cuando el bebé lo pida, aunque procurando que se vacíe el pecho en cada tetada.

Es importante saber que la cantidad de leche no es abundante en los primeros días, aunque es suficiente. Hay que evitar la tentación de complementar con biberón.

Poco a poco el niño va espaciando la demanda del pecho, y hacia el mes de vida se inicia una reglamentación horaria, dando el pecho cada 3 horas, de manera que existen períodos de descanso para el niño y para la madre, aunque nunca con un horario rígido.

Hacia los 2 a 3 meses de edad, el bebé espacia más las tomas, y después de los 3 meses es habitual que tome cada 4 horas, cinco tomas al día con un descanso o pausa nocturna.

En resumen durante el primer mes de vida las tomas se hacen «a demanda», cuando lo pide el niño. A partir del mes cada 3 horas y a partir de los 3 meses cada 4 horas, con descanso nocturno, aunque los horarios no deben ser rígidos, es decir, no se le debe despertar para la toma aunque sea la hora, ni se le deja llorar por hambre porque todavía no sea la hora.

5.º Higiene

Es necesaria una higiene especial de pezones y areola que deben limpiarse antes y después de cada tetada con agua hervida.

La lactancia materna requiere una técnica que hay que aprender. En un ambiente tranquilo y la madre en postura cómoda, el cuerpo y la cabeza del niño deben estar alineados, sin flexión ni rotación de la cabeza. La madre acerca al niño moviendo todo el cuerpo con el brazo y no la cabeza sola. Con la otra mano sostiene el pecho orientando el pezón.

Las tomas deben empezar por la mama que se dio en último lugar la vez anterior. Durante el primer mes de vida, las tomas no tienen horario, se hacen «a demanda». Después se efectúan cada 3 horas y posteriormente cada 4, aunque sin horario rígido. La tetada no debe durar más de 10 minutos en cada mama.

Es necesaria una higiene especial de pezones y areola.

La lactancia materna exclusiva, es decir, sin ningún otro alimento, es suficiente hasta el quinto mes de vida. Después de los 5 meses se debe iniciar la alimentación complementaria, aunque se debe seguir con las tomas de lactancia materna.

En nuestro medio, el destete definitivo no debe hacerse más tarde del noveno mes.

En caso de escoriaciones o grietas deben secarse con aire caliente (secador de pelo) para no irritarlos, y utilizar una pomada emoliente –antiséptica–. Hay que colocar una gasa estéril seca sobre el pezón para evitar roces.

6.º Duración de la lactancia

La lactancia materna exclusiva, o sea, sin ningún otro alimento, es suficiente hasta el quinto mes de vida. Después de cumplir los 5 meses el lactante debe iniciar la alimentación complementaria, que se explicará en otros capítulos, aunque puede seguir con la lactancia materna. El destete definitivo dependerá mucho de las circunstancias de la madre, pero en nuestro medio no debe hacerse más tarde de los 9 meses.

Problemas durante la lactancia materna

Durante la lactancia materna hay que seguir unas precauciones y pueden surgir incidentes y problemas. Describiremos brevemente algunos de ellos.

Fármacos y tóxicos

Durante la lactancia, al igual que durante todo el embarazo, hay que evitar el tabaco, el alcohol y los tóxicos. Estas sustancias perjudican al feto y perjudican al bebé criado con lactancia materna.

Si la madre toma fármacos por prescripción facultativa, algunos pueden contraindicar la lactancia materna. Ineludiblemente hay que consultar con el médico en cada caso concreto y seguir sus indicaciones.

Pezones planos. Grietas

Los pezones planos no impiden la lactancia materna. Después del parto se pueden realizar los «ejercicios de Hoffman»: colocando los dedos índices de ambas manos en el margen de la areola y empujando suavemente hacia fuera, se logra que aflore el pezón.

Las grietas tampoco impiden la lactancia. La causa más frecuente es la posición incorrecta. Hay que comprobar que el bebé se introduce bien en la boca, además del pezón, toda la areola, y que el labio inferior esté doblado hacia afuera y no quede metido dentro de la boca.

La curación de las grietas exige mantener el pezón seco entre las tomas, como se ha explicado anteriormente.

Mantenimiento de la producción de leche

Los principales estímulos para asegurar la producción adecuada de leche son la succión del pezón y el vaciamiento de la mama. Por esto es importante iniciar las tomas de pecho lo antes posible después del parto y dar el pecho a menudo.

Pero en ocasiones, la madre no puede iniciar la lactancia después del parto, o tiene que suspenderla debido a enfermedad del bebé que requiera hospitalización. En estos casos se puede sustituir la succión del niño por estimulación del pezón y por dispositivos para la extracción manual o eléctrica de la leche. Así se mantiene la lactancia natural hasta que la situación del niño mejore y la madre pueda alimentarlo directamente al pecho. El personal sanitario del hospital debe proporcionar apoyo, consejo y enseñar a estimular el pezón y extraer la leche.

Durante la lactancia, al igual que durante el embarazo, hay que evitar el tabaco, el alcohol y los tóxicos.

Si la madre toma medicamentos por prescripción médica hay que consultar, ya que algunos pueden contraindicar la lactancia materna.

Los pezones planos y las grietas no contraindican la lactancia. Hay que revisar si la técnica y postura de la lactancia son correctas.

En caso de enfermedad del niño que impida la lactancia materna directa se puede estimular y mantener la producción de leche para no interrumpir la lactancia natural.

Es importante el descanso adecuado de la madre y una alimentación equilibrada, rica en proteínas.

Otros consejos para mantener y aumentar la producción de leche son el reposo y descanso adecuado de la madre, la alimentación equilibrada, con alimentos ricos en proteínas (carnes, pescados, huevos y legumbres), y la ingesta de aproximadamente dos litros diarios de líquidos.

¿Es suficiente la lactancia materna?

Para saber si la lactancia materna que recibe el niño es suficiente, el mejor método es la vigilancia del aumento de peso.

Es el pediatra quien en las visitas de control constata el aumento de los parámetros de crecimiento (peso, talla y perímetro cefálico), para comprobar que son los adecuados. En la cartilla de salud infantil, que deben tener todos los recién nacidos, se especifican el número mínimo de visitas al pediatra, o calendario de exámenes de salud, que son:

- La primera visita neonatal o examen de salud del recién nacido.
- La segunda visita debe ser antes de las dos semanas de vida.
- La tercera visita debe ser al mes de vida, la cuarta a los 2 meses, la quinta a los 4 meses y así sucesivamente.

Aunque la valoración del crecimiento la debe hacer el pediatra en cada caso concreto, indicamos unas normas generales que pueden servir de orientación.

En los 2 o 3 primeros días de vida se produce lo que se denomina pérdida fisiológica de peso. El niño nace con excesivos líquidos en su cuerpo, que necesita perder, sobre todo por orina.

La pérdida normal de peso suele ser de alrededor del 5 al 7% del peso corporal, o menor en muchas ocasiones. Así con un peso al nacimiento de 3.000 a 3.500 g la pérdida oscila entre 150 y 250 g. Es anormal una pérdida de peso superior al 10% del peso al nacimiento, en el caso anterior superior a 300 a 350 g, y debe ser motivo de consulta al pediatra.

En los días siguientes se recupera el peso perdido y a la semana de vida, el niño pesa aproximadamente lo mismo que al nacimiento. Los prematuros y los niños con bajo peso al nacimiento tienen un patrón de pérdida de peso diferente, la pérdida dura más días, al igual que la recuperación.

A partir de la semana de vida comienza un período de crecimiento muy rápido, con aumentos diarios de 25 a 30 g diarios, es decir de 175 a 200 g semanales. Si la ganancia es menor de 150 g a la semana conviene la consulta con el pediatra, ya que la alimentación puede ser insuficiente, bien sea por una técnica incorrecta, o bien, por escasa producción de leche materna, que se denomina hipogalactia. No se deben administrar suplementos de biberón sin la consulta previa al pediatra.

El crecimiento y el aumento de peso son grandes en los primeros meses de vida, pero después, progresivamente el crecimiento y el aumento de peso se producen más pausadamente.

El mejor método para saber si la lactancia materna es suficiente es comprobar el aumento de peso semanal del bebé.

En los primeros días de vida se produce la pérdida normal de peso, que no debe ser excesiva. Es anormal una pérdida del 10% del peso al nacimiento, o mayor.

A partir de la semana de vida, el recién nacido a término gana de 25 a 30 g diarios de peso, de 175 a 200 g semanales.

En los 3 primeros meses, los bebés suelen ganar 2.500 g, y el peso al nacimiento se dobla poco después de los 4 meses.

Entre los 3 y los 6 meses disminuye este ritmo de aumento a 20 g diarios.

Entre los 6 y los 9 meses sólo se ganan alrededor de 15 g diarios, es decir 100 g semanales y 450 g mensuales.

Es importante conocer estos distintos ritmos de crecimiento normales.

El pediatra comprueba si los aumentos son correctos comparando la gráfica del niño con las curvas de crecimiento normales que aparecen en la cartilla de salud infantil.

Estas curvas de crecimiento son para niños nacidos a término, con peso normal al nacimiento.

Los niños prematuros o con bajo peso al nacimiento precisan gráficas especiales, ya que tienen distinto patrón de crecimiento.

El recién nacido a término, con un aumento diario de 25 a 30 g durante los primeros 3 meses suele aumentar alrededor de 2.500 g en este tiempo y dobla el peso al nacimiento poco después de los 4 meses.

Durante el primer año de vida el niño aumenta alrededor de 7.000 g, 7 kg, pero la mitad de este peso lo gana en los primeros 4 o 5 meses y la otra mitad en los otros 7 u 8 meses.

Entre los 3 y los 6 meses el aumento de peso disminuye a tan sólo 20 g diarios.

Entre los 6 y los 9 meses vuelve a disminuir este aumento de peso diario a 15 g, es decir, sólo se aumentan 100 g semanales y alrededor de 450 g mensuales.

Es importante el conocer estos distintos ritmos de aumento normales para interpretar correctamente el proceso del bebé.

El pediatra comprueba si es normal, o no, el crecimiento del niño comparando su peso, su talla y su perímetro cefálico con las curvas de percentiles de crecimiento que aparecen en la cartilla de salud infantil. Estas curvas de percentiles son diferentes para cada sexo y sólo sirven para los niños nacidos tras un embarazo a término, con un peso normal al nacimiento.

Los niños prematuros, los de bajo peso al nacimiento, así como los niños con problemas especiales, como síndrome de Down, tienen un patrón de crecimiento diferente y precisan de unas curvas de percentiles de crecimiento especiales para cada grupo.

Errores durante la lactancia materna

Durante la lactancia materna se pueden producir errores que la dificulten. Los más frecuentes son:

1.º Errores en la técnica

Un error en la postura durante la toma puede dar la falsa impresión de rechazo por parte del lactante y poner en peligro la continuidad de la lactancia.

La lactancia materna precisa tranquilidad, pero también una técnica correcta.

2.º Suplementos de líquidos

El lactante alimentado al pecho, en condiciones normales, no precisa ningún suplemento de agua ni de suero glucosado.

Sólo en caso de pérdidas de agua anormales, como temperaturas climáticas muy altas, fiebre del bebé o pérdidas por diarrea, son necesarios los suplementos de líquidos.

Es conveniente que no se le ofrezcan tetinas ni chupetes, sobre todo en las primeras semanas de vida, hasta que esté establecida la lactancia materna.

No está justificado el empleo de infusiones de hierbas, especialmente en los primeros 3 meses de vida. Las infusiones de manzanilla y anís empleadas para mejorar la digestión o expulsar los gases, no han demostrado tener ninguna efectividad y pueden ser perjudiciales por su contenido en azúcares.

3.º Falsa diarrea

Los niños alimentados con lactancia materna tienen normalmente unas deposiciones con menor consistencia, más líquidas y en mayor número que las de los niños alimentados con biberón (lactancia artificial). Este es un fenómeno normal, consecuencia de la diferente composición de las dos leches, y no debe interpretarse como anormal ni interrumpir la lactancia materna.

Hay que evitar errores en la técnica de la lactancia materna, como la mala postura del niño.

En condiciones normales no se precisan suplementos de agua ni de suero glucosado.

No conviene ofrecer tetinas ni chupetes. No está justificado dar infusiones de hierbas.

Los niños con lactancia materna presentan deposiciones más líquidas y en mayor número que los niños alimentados con biberón. Es un fenómeno normal, falsa diarrea, que no debe interrumpir la lactancia materna.

8

Lactancia artificial

El neonato y el bebé sólo son capaces de succionar, deglutir y digerir líquidos, ya que sus aparatos digestivo y renal no están maduros para tomar otros alimentos.

La lactancia materna constituye el alimento ideal. Cuando no es posible la lactancia natural hay que recurrir a la artificial con biberón, pero con unas leches o fórmulas especiales que se llaman leches adaptadas. La madre que no quiere o no puede dar de mamar a su hijo no debe tener sensación de fracaso ni sentir menos afecto hacia su hijo.

La leche adaptada se fabrica modificando profundamente la leche de vaca para que su contenido en nutrientes se parezca el máximo posible a la leche materna. Afortunadamente, la industria dietética infantil está muy desarrollada y logra unos productos cada vez más similares en su composición a la leche materna.

Pero como ya se ha explicado en el capítulo anterior, las ventajas de la lactancia materna no son solamente de componentes nutritivos sino además de defensa contra las infecciones, de protección contra las alergias, etc., que no tienen las leches adaptadas.

Tanto las sociedades científicas como una directiva de la Unión Europea han elaborado una normativa de composición en nutrientes que deben cumplir las marcas comerciales para obtener la autorización de venta.

Tipos de fórmulas adaptadas

Hay dos tipos de fórmulas adaptadas: de inicio y de continuación.

Fórmulas de inicio

Las fórmulas adaptadas de inicio o especiales para lactantes son leches que se pueden dar desde el primer día de vida y cubren completamente las necesidades del lactante en energía y nutrientes hasta el 5° mes de vida. No se precisa, pues, durante este tiempo, dar ningún otro alimento adicional.

Habitualmente después del nombre comercial está la cifra 1, indicando que es la fórmula de inicio.

Las marcas comerciales actuales de fórmulas adaptadas de inicio son, por orden alfabético:

Adapta 1, Adapta PEG, Almirón 1, Aptamil 1, Blemil 1 Plus, Dorlat 1, Enfa-lac 1, Hero-Baby 1, Miltina 1, Modar 1, Nado 1, Nativa 1, Nidina 1, Nogamil 1, Nutriben Natal, Puleva 1 y Similac 1.

Fórmulas de continuación

La fórmula de continuación es la leche que debe tomar el lactante a partir del quinto mes de vida, pero acompañando a la alimentación complementaria que precisamente se comienza a introducir a partir de este mes.

Desde los 5 meses al año de vida, el lactante se desarrolla mucho en sus aspectos psicomotor, digestivo, inmunológico y renal. Se denomina período transicional porque el lactante efectúa un tránsito progresivo desde la alimentación líquida exclusiva hasta el 5° mes, en forma de lactancia materna o de leche adaptada, hasta la alimentación más variada.

La alimentación durante este período también adquiere un carácter transicional. La alimentación complementaria consiste en alimentos distintos a la leche, que se van introduciendo progresivamente y que siguen siendo líquidos, pero que no los succiona el bebé, sino que le son introducidos en la boca para que degluta. Nos ocuparemos de la alimentación complementaria en otro capítulo.

La fórmula láctea que debe darse a partir del 5° mes de vida se denomina fórmula de continuación. Habitualmente, después del nombre comercial figura la cifra 2.

Las marcas comerciales actuales de fórmulas de continuación son, por orden alfabético:

Adapta 2, Almirón 2, Aptamil 2, Blemil 2 Plus, Dorlat 2, Enfalac 2, Hero-Baby 2, Miltina 2, Modar 2, Nadó 2, Nativa 2, Nidina 2, Nogamil 2, Nutriben Continuación, Puleva 2 y Similac 2.

Leches para prematuros

El prematuro es un ser todavía más inmaduro que el recién nacido a término. La inmadurez de muchos prematuros dificulta la alimentación enteral, es decir, la alimentación por el tubo digestivo, y algunos de ellos hay que nutrirlos por vía venosa (nutrición parenteral). En otros se puede simultanear la nutrición parenteral con una nutrición enteral mínima (llamada trófica), que se va aumentando progresivamente. Si el prematuro no succiona esta alimentación enteral se le suministra por una sonda que se coloca en el estómago.

Las recomendaciones nutricionales para el prematuro son diferentes de las del recién nacido a término, ya que se precisa el aporte de más nutrientes. Incluso la leche materna por sí sola no es suficiente para sus necesidades, por lo que hay que enriquecerla con suplementos (fortificación con proteínas, calcio y fósforo). El pediatra neonatólogo es el especialista en estos niños, que pueden tener una gran variedad de necesidades individuales según su edad gestacional y la patología que pueden padecer en el período neonatal.

Cuando no es posible la lactancia materna se debe alimentar al bebé con lactancia artificial sirviéndose de las llamadas fórmulas adaptadas. Existen dos tipos de fórmulas adaptadas: las de inicio o fórmulas para lactantes, que cubren todas las necesidades nutritivas del niño hasta los 5 meses de vida, y las fórmulas de continuación, que es la leche que debe tomar el niño a partir de los 5 meses de vida acompañando a la alimentación complementaria que se comienza a introducir a partir de este mes. Las leches comerciales de inicio suelen tener en su etiqueta el 1 después del nombre, mientras que las leches de continuación llevan el 2.

El prematuro es un ser enormemente inmaduro, con unos requerimientos nutritivos especiales. En estos niños hay que seguir las recomendaciones del pediatra neonatólogo. Existen fórmulas para estos bebés, llamadas leches para prematuros.

Para la alimentación de estos niños existen unas leches especiales, que incluyen en su composición los nutrientes que precisan y que se denominan leches para prematuros.

Hay que seguir siempre las recomendaciones del pediatra neonatólogo, que debe controlar el crecimiento postnatal de estos niños que tienen características especiales y diferentes de los recién nacidos a término.

Las leches para prematuros que existen en el mercado son:

Alprem, Bleviprem, Miltina 0, Nenatal, Pre-Aptamil y Preadapta.

Fórmulas especiales

En ocasiones, algunos lactantes necesitan alimentos dietéticos destinados a usos médicos especiales. Sólo deben tomarse por indicación médica del pediatra y nunca sin su supervisión.

Sólo las mencionaremos brevemente: fórmulas antirreflujo, fórmulas sin lactosa, fórmulas a base de proteínas de soja, fórmulas con hidrolizados de proteínas y fórmulas elementales y semielementales.

> Las fórmulas especiales sólo deben tomarse por indicación médica del pediatra y nunca sin su supervisión.

Técnica de la alimentación artificial

En el recién nacido sin ningún problema, la lactancia artificial se inicia dentro de las primeras 4 horas de vida.

La primera toma suele hacerse con una pequeña cantidad, 10 ml de suero glucosado al 5% (¡no al 10%!) que sirve para probar la capacidad de succión del neonato y la tolerancia digestiva. Algunos neonatos pueden vomitar esta primera toma porque tienen ocupado el estómago con mucosidades que han tragado durante el momento del parto.

Comprobada la tolerancia gástrica, es decir, que no vomitan esta primera toma de 10 ml de suero glucosado al 5%, ya a las 4 horas de vida se inicia la alimentación propiamente dicha, con biberones de leche adaptada de inicio.

Se comienza con pequeñas cantidades, solamente 15 a 20 ml cada 3 horas. Si se comprueba la tolerancia, esta cantidad inicial se va aumentando en 10 ml por toma. En los primeros días no se debe pasar de 45 ml por toma, y al final de la primera semana de vida se puede aumentar a 60 ml por toma.

Las tomas se deben hacer sin forzar y sin horarios rígidos, aunque conviene dejar pasar cuanto menos 2 horas hasta la siguiente para dar tiempo a que se vacíe el estómago.

Al terminar la toma se incorpora al niño durante varios minutos para favorecer el eructo.

En su primera semana de vida la mayoría de bebés realizan de 9 a 10 tomas por día. Durante la segunda semana se puede aumentar a 90 ml por toma, al mismo tiempo que disminuye el número de éstas hasta 8 por día, cada 3 horas. Algunos niños comienzan ya a efectuar pausa nocturna, es decir, por la noche duermen más horas seguidas y no deben ser despertados.

Alrededor del mes de vida, el niño toma 120 ml por biberón, con 6 a 7 tomas al día.

Alrededor de los 2 meses, los biberones aumentan a 150 ml por toma, con 5 a 6 de ellas diarias, es decir, las tomas ya se hacen cada tres horas y media o cada 4 horas.

A los tres meses se deben administrar aproximadamente 180 ml de biberón, y a los 4 meses 200 ml, con 4 a 5 tomas diarias.

Todas estas cifras son aproximadas y pueden variar en cada bebé, según sus características.

Como regla general, al mes de vida el niño recibe diariamente entre 150 y 170 ml de leche adaptada por kg de peso. Por ejemplo, si pesa 4.000 g debe tomar diariamente entre 600 y 680 ml. Al tercer mes de vida se disminuye la cantidad relativa y debe tomar entre 150 y 140 ml por kg de peso y día. Si el niño anterior ha aumentado adecuadamente alrededor de 25 a 30 g al día, ahora 2 meses después pesará 5.800 g, y debe consumir entre 812 y 870 ml al día de leche adaptada.

La ganancia normal de peso diario, que está alrededor de 25 a 30 g diarios durante los 3 primeros meses de vida (de 750 a 900 g mensuales), disminuye a alrededor de 20 g diarios a partir del tercer mes (600 g mensuales)

Si la madre tiene alguna duda debe consultar con el pediatra.

La lactancia artificial debe iniciarse dentro de las 4 primeras horas de vida. La primera toma suele hacerse con 10 ml de suero glucosado al 5% para comprobar que el niño succiona y no vomita. Después ya puede iniciarse la alimentación con leche adaptada de inicio, la primera toma es de 15 a 20 ml, y después cada 3 horas aumentando 10 ml en cada toma. En la primera semana de vida del bebé no deben superarse los 60 ml por toma. Durante la segunda semana se suele aumentar a 90 ml por toma y alrededor del mes de vida a 120 ml por toma. Progresivamente aumenta el tiempo entre tomas y alrededor de los 2 meses toman 150 ml por biberón de 5 a 6 biberones por día. Las variaciones individuales son notables y si hay dudas se debe consultar al pediatra.

Es preciso comprobar el aumento de peso, que es de alrededor de 25 a 30 g diarios durante los 3 primeros meses de vida, para disminuir a 20 g diarios a partir del tercer mes.

Preparación de los biberones

La preparación de biberones debe seguir una técnica estéril. Deberá procederse a una meticulosa limpieza de biberones y tetinas inmediatamente después de cada toma, seguida de su esterilización, bien sea por ebullición (con agua hirviendo) o en soluciones de hipoclorito sódico.

Aunque algunas fórmulas se presentan en forma líquida, la mayoría se presentan en polvo, con un cacito para medir, que raso (sin monte) contiene entre 4,3 y 4,5 g por cacito.

Es fundamental la correcta proporción entre la cantidad de polvo de leche y la cantidad de agua. La dilución correcta es entre el 13 y el 14% que se obtiene diluyendo 1 cacito raso de polvo por cada 30 ml de agua.

Así con 90 ml de agua deberemos diluir 3 cacitos rasos de polvo y resultará, aproximadamente, 95-100 ml de biberón.

Si se diluye incorrectamente las consecuencias pueden ser graves. Si se diluye a menor concentración, es decir, con más agua, la cantidad de nutrientes en el biberón será menor y el niño no recibirá el aporte necesario. Si se diluye a mayor concentración, es decir, con menos agua o más cantidad de polvo de leche, el bebé puede sufrir graves trastornos renales, incluso deshidratación.

Así pues:

- Para 60 ml de agua, 2 cacitos rasos
- Para 90 ml de agua, 3 cacitos rasos
- Para 120 ml de agua, 4 cacitos rasos
- Para 150 ml de agua, 5 cacitos rasos
- Para 180 ml de agua, 6 cacitos rasos

El agua debe ser potable, estéril y con bajo contenido en nitratos y en sales minerales. Debido a que en algunas zonas el agua potable contiene elevadas cantidades de nitritos es preferible el agua mineral embotellada, pero con bajo contenido en sales, sobre todo en sodio.

En las etiquetas de las botellas de agua mineral figura su contenido en sales. Hay que fijarse sobre todo en el sodio (Na) y elegir las que contengan menos, siempre inferior a 15 mg por litro. Hay que rechazar las que tengan cantidades superiores y, sobre todo, desestimar las que tengan 20 mg o más de sodio por litro.

El agua se debe calentar antes de hacer la disolución con el polvo de leche. El calentamiento no debe ser excesivo, por el peligro de quemadura de las delicadas mucosas del lactante. Es decir el biberón tiene que estar a menor temperatura que el cuerpo.

Una vez preparado, el biberón no se debe hervir ni sobrecalentar. Si se calienta a más de 45° C se pueden destruir las vitaminas que contiene.

Se desaconseja el uso del microondas para el calentamiento, ya que este aparato calienta de manera desigual y hay más peligro de quemadura.

Antes de administrar el biberón, se dejan caer unas gotas en el dorso de la mano para constatar que no está excesivamente caliente.

El agujero de la tetina no debe ser excesivo ni escaso. Invirtiendo el biberón, la leche debe caer en gotas rápidas y muy seguidas, pero no en chorrito ni en gotas lentas. Si el agujero de la tetina es demasiado grande el lactante se atraganta al succionar, y si es pequeño tiene que hacer un esfuerzo excesivo de succión para extraer la leche, lo cual le irrita y protesta.

Debe evitarse que con la succión trague aire, que aumenta la aerofagia normal, tan molesta para el lactante. Para ello el biberón debe sostenerse en posición bastante vertical, con lo que el aire sube y no está en la tetina.

Deben efectuarse descansos durante la toma, para evitar la fatiga del bebé, y darle tiempo para eructar. Nunca se debe forzar la toma, ni intentar que el niño acabe el biberón si se le nota cansado o saciado. En este caso, se da por finalizada la toma. No se debe guardar la leche sobrante. El biberón se debe preparar por completo en cada toma.

En circunstancias normales, tanto tomando lactancia materna como leche adaptada a la correcta concentración, el lactante no precisa agua entre tomas. Sí puede precisarla en circunstancias anormales en que se pierde más agua, como son calor excesivo, fiebre o pérdidas por diarrea. Con el calor excesivo o la fiebre hay que dar agua, pero ante la diarrea se precisa una solución hidroelectrolítica especial (ver capítulo 17)

La leche adaptada proporciona 67 kcal por 100 ml.

No se debe añadir ninguna sustancia al biberón, ni azúcar, ni harinas, ni papillas. El bote de polvo se debe cerrar herméticamente para evitar que penetre la humedad.

La preparación de los biberones debe seguir una técnica estéril, con limpieza y esterilización de tetina y biberones después de cada toma.

Es esencial la dilución correcta del biberón: por cada cacito raso de polvo se deben añadir 30 ml de agua.

La dilución incorrecta, en más o en menos, puede ser muy perjudicial para el lactante.

El agua para la dilución deber ser potable, estéril y con bajo contenido en sales minerales.

El calentamiento del agua no debe ser excesivo, para evitar quemaduras.

El agujero de la tetina no debe ser excesivo ni escaso.

Nunca se debe forzar la toma, ni guardar el sobrante para la toma siguiente.

No se debe añadir nada al biberón, ni azúcar, ni harinas, ni papillas.

Problemas alimentarios más frecuentes durante los primeros meses de vida

Nos ocuparemos brevemente de los más frecuentes.

Alimentación insuficiente

Si el niño está inquieto, llora y no gana peso de forma adecuada, a pesar de vaciar completamente la mama o el biberón, es posible que la alimentación sea insuficiente. Se debe consultar con el pediatra.

Alimentación excesiva

La alimentación puede ser excesiva en cantidad o en concentración. El vómito es un síntoma frecuente de sobrealimentación, ya que la cantidad de biberón es superior a la capacidad del estómago.

Regurgitación y vómito

Hay que distinguir el vómito de la regurgitación, pues son completamente distintos.

La regurgitación es el retorno a la boca de pequeñas cantidades de leche, durante la toma o poco después de ella. La regurgitación es normal en los primeros 5 meses de vida. Se debe a que el mecanismo de cierre del estómago está todavía inmaduro y deja escapar el alimento.

Se puede reducir la regurgitación si se hace un descanso durante la toma y después de la misma, para que el niño eructe el aire tragado. Durante el período de descanso la cabeza no debe quedar más baja que el cuerpo, es decir, debe estar al mismo nivel o algo más alta.

Hay que recordar que el lactante debe dormir sin almohada y boca arriba (en la posición que se denomina decúbito supino). Nunca debe dormir boca abajo.

La regurgitación disminuye y va desapareciendo a partir de los 6 meses de edad por dos motivos: va madurando el mecanismo de cierre del estómago, y la alimentación es más espesa, en forma de papillas.

El vómito es diferente de la regurgitación. Consiste en la expulsión con fuerza de una cantidad importante de alimento. Se debe a una contracción brusca del estómago. Siempre es anormal y si es reiterativo debe ser motivo de consulta al pediatra.

La alimentación puede ser insuficiente, por lo cual el bebé puede llorar y no aumentar de peso de forma adecuada.

La alimentación puede ser excesiva y manifestarse por vómitos.

La regurgitación es el retorno a la boca de pequeñas cantidades de leche, durante la toma o inmediatamente después. Es normal en los primeros 5 meses de vida.

El vómito es la expulsión con fuerza de una cantidad importante de alimento y es siempre anormal.

9
Alimentación complementaria

La maduración de las funciones fisiológicas del lactante es un fenómeno simultáneo al crecimiento físico, y poco a poco sus aparatos digestivo y renal pueden asimilar nuevos alimentos.

El lactante también va madurando su desarrollo psicomotor y durante el segundo semestre de vida cada vez toma parte más activa en la comida. Hacia el 6° mes de vida el lactante sujeta el biberón, hacia el 9° mes sujeta una taza y hacia los 12 meses le gusta coger la cuchara y empezar a autoalimentarse.

El segundo semestre de vida es un período de transición entre la alimentación láctea exclusiva de los primeros meses hasta la alimentación variada a partir del año de vida. Hay que introducir nuevos alimentos, la alimentación complementaria, pero de manera muy lenta y progresiva y con un calendario bastante riguroso.

Alimentación complementaria es la administración de cualquier otro tipo de alimento que no sea la leche de la madre o la leche adaptada.

Como hemos indicado en los anteriores capítulos, tanto la leche materna como las fórmulas adaptadas proporcionan todos los nutrientes necesarios, sin precisarse ningún otro alimento hasta los 4 o 5 meses de vida.

La alimentación complementaria no debe empezar antes de los 4 meses del bebé, aunque tampoco se debe demorar más tarde de los 6 meses.

El momento exacto entre los 4 y los 6 meses en que debe comenzar la alimentación complementaria dependerá de las circunstancias de cada niño: si está satisfecho y aumenta bien sólo con leche se puede esperar hasta los 5 o 5 meses y medio. Si el niño tiene problemas con la alimentación láctea exclusiva se inicia la alimentación complementaria a los 4 o 4 meses y medio.

El primer alimento que se introduce es la papilla de cereales sin gluten.

Hasta los 4 o 5 meses de vida, el lactante no debe tomar ningún otro alimento más que la lactancia materna o leche adaptada.

Alimentación complementaria es otro tipo de alimento distinto de la leche.

La alimentación complementaria no debe comenzar antes de los 4 meses del bebé ni después de los 6 meses.

El primer alimento que se introduce es la papilla de cereales sin gluten.

La papilla de cereales

Hacia los 4 o 5 meses, además de haber madurado el intestino para digerir los cereales, el lactante ya tiene capacidad para tragar alimentos semisólidos depositados en su boca con una cucharita. Desaparece el llamado reflejo de extrusión que provocaba que el lactante de menos de 4 meses expulsaba el alimento de la boca. Puede, pues, comenzar a tomar la papilla de cereales con cucharita.

La papilla de cereales debe ser siempre sin gluten antes de los 7 meses de vida. El gluten es un componente de los cereales trigo, centeno, cebada y probablemente también avena. Los cereales sin gluten están compuestos de arroz, maíz y tapioca.

Los cereales destinados a los lactantes deben tener un tratamiento especial, bien por calor, o bien, por tratamiento enzimático, para obtener su hidrólisis y facilitar la digestión. Es decir, están precocidos. Además, así se disuelven fácilmente en agua y en leche.

Existen dos tipos, lacteadas y no lacteadas. Las papillas lacteadas ya contienen leche en polvo y se disuelven en agua templada.

Las papillas no lacteadas contienen sólo el polvo de cereales precocidos y hay que disolverlas en leche de continuación. Estas papillas no pueden disolverse en leche de vaca, ya que está prohibido dar al lactante leche de vaca antes del año de vida.

Son preferibles las papillas no lacteadas, ya que las lacteadas presentan mayor proporción de harina que de leche de continuación y es necesario que el lactante continúe tomando al menos 500 ml diarios de leche durante todo el primer año de vida. Con las papillas no lacteadas, aunque la preparación sea un poco más lenta porque primero hay que agregar la leche de continuación (en la proporción ya señalada de 1 cacito raso por cada 30 ml de agua), se conoce con seguridad la cantidad de leche que toma el bebé.

El contenido calórico de la harina de cereales sin gluten es alto: 3,7 kcal por gramo de polvo. Se disuelve en la leche de continuación (de 180 a 190 ml) hasta alcanzar una consistencia «de papilla», es decir, semisólida, ni demasiado espesa o grumosa ni muy clara.

La alimentación con cucharita requiere aprendizaje por parte del lactante y paciencia por parte de la madre. Inicialmente puede dar la impresión de que el niño desperdicia más papilla que la que traga, pero poco a poco se invierte esta proporción. Es un error impacientarse y dar la papilla utilizando el biberón porque el niño debe aprender la alimentación con cucharita.

Inicialmente se da una papilla al día, de alrededor de 200 ml, sustituyendo a una toma de lactancia materna o, si el niño toma lactancia artificial, sustituyendo a un biberón de leche adaptada.

Simultáneamente al comienzo de dar papillas se debe iniciar el ofrecer agua entre tomas. Mientras el niño se alimentaba solamente con leche (materna o adaptada), en circunstancias normales no precisaba agua entre tomas. Sí podía precisarla en condiciones anormales, como un calor excesivo o si tenía pérdidas de agua accidentales como en la fiebre o en la diarrea.

Ahora como las papillas tienen menos agua el lactante puede tener sed y se le debe ofrecer agua entre tomas como una costumbre rutinaria.

La exclusión del gluten en la dieta hasta los 7 meses de vida incluye también no dar pan, ni galletas, ni bizcochos, que están compuestos de harina de trigo.

El segundo semestre de vida es la etapa de transición entre la alimentación láctea exclusiva de los primeros meses, hasta la alimentación variada a partir del año de vida.

Alimentación complementaria son los alimentos diferentes de la leche. No debe comenzar antes de los 4 meses ni después de los 6.

El primer alimento que se introduce es la papilla de cereales sin gluten.

Los alimentos con gluten (harina de trigo, centeno y cebada) están prohibidos antes de los 7 meses de vida.

Los cereales para lactantes están precocidos y se disuelven fácilmente en agua (las papillas lacteadas), o en leche adaptada de continuación (las papillas o harinas no lacteadas).

No hay que prepararlas con leche de vaca, prohibida para el lactante antes del año de vida.

Se da inicialmente una sola papilla al día, de 200 ml, sustituyendo a una toma de lactancia materna o a un biberón de leche adaptada (si el lactante toma alimentación artificial).

Mientras sólo se alimenta con lactancia materna o leche adaptada (a la concentración correcta), el lactante no precisa agua entre tomas, en circunstancias normales.

Desde que se inicia la alimentación con papillas se debe comenzar a ofrecer agua entre las tomas, como costumbre rutinaria.

La papilla de frutas

Después de 7 a 10 días de dar al bebé una papilla diaria de cereales sin gluten se puede comenzar a ofrecerle una segunda papilla diaria: la de frutas.

La papilla de cereales aporta hidratos de carbono, proteínas y hierro, mientras que la de frutas incluirá fibra, vitaminas, oligoelementos y algo de hidratos de carbono.

La papilla de frutas natural se prepara triturando finamente trozos de varias frutas muy maduras, mondadas y sin semillas. No conviene añadir azúcar, ya que basta con el natural de la fruta madura.

Se emplea, sobre todo, plátano muy maduro, comenzando con medio, y añadiendo trocitos de manzana, pera y naranja.

Hay frutas prohibidas durante el primer año de vida del bebé, por distintas razones: son el melocotón, el melón, las fresas y fresones y las frambuesas.

La papilla de frutas, además, puede ayudar al lactante a regular sus deposiciones. El lactante tiene un hábito intestinal muy variable para cada niño, e incluso en el mismo niño variaciones temporales.

Todas las frutas tienen un valor alimenticio similar, pero algunas aumentan la consistencia de las deposiciones y otras las disminuyen.

En el lactante estreñido se pueden utilizar preferentemente pera y naranja, mientras que al lactante con deposiciones blandas hay que darle preferentemente plátano y manzana, con unas gotas de zumo de limón.

Se suele dar por la tarde, y hay que comenzar siempre por pequeñas cantidades para probar el gusto, la aceptación y la tolerancia digestiva. Se complementa la toma con leche, materna o adaptada.

Cuando el bebé la coma y tolere bien se va aumentando progresivamente la cantidad de papilla de fruta y disminuyendo la cantidad de complemento de leche.

En ocasiones, el lactante rechaza el sabor de unas mezclas y prefiere otras. Es completamente normal. Para educar el gusto pueden utilizarse las tarrinas o potitos ya preparados, aunque siempre es preferible la natural preparada inmediatamente antes de la toma.

Después de 7 a 10 días de dar al bebé una papilla diaria de cereales sin gluten, se introduce una segunda papilla diaria de frutas naturales.

Es una mezcla triturada de trozos de fruta bien madura, sobre todo plátano. En los lactantes estreñidos se puede utilizar básicamente pera y naranja y en los bebés con deposiciones blandas, sobre todo plátano y manzana.

Se comienza con pequeñas cantidades para probar la tolerancia y se complementa la toma con leche (materna o adaptada).

El lactante puede mostrar rechazo frente a unas combinaciones y agrado con otras.

El lactante entre el 5° y 6° mes

Al bebé se le han ofrecido sabores diferentes y está formando su gusto alimentario. El niño puede empezar a expresar sus sentimientos de autonomía con el rechazo de algunas papillas y la preferencia por otras. Es un fenómeno totalmente normal y son posibles todas las variaciones individuales, siempre que la ingesta de nutrientes sea correcta.

La papilla de cereales suele ser la preferida, y a muchos niños hay que darles dos diarias sustituyendo dos tomas de leche. La papilla de frutas no se acepta fácilmente y muchos bebés prefieren potitos de frutas. No hay que insistir excesivamente para que el niño acepte un alimento, podría originar ansiedad y reacciones negativas.

Antes del 6° mes hay que introducir un nuevo sabor: el caldo de verduras, que es el sabor del puré de verduras con carne que se introduce precisamente al cumplir los 6 meses de vida.

El puré de verduras con carne

En el comienzo del segundo semestre de vida del niño se hace insuficiente el aporte de proteínas (de aminoácidos esenciales) y minerales (sobre todo hierro) con la dieta de leche, cereales y frutas, por lo que es obligado comenzar a darle lo que se llama vulgarmente papilla salada (aunque no debe añadirse sal en ningún momento), que en realidad es un puré de verduras con carne, finamente triturado.

Antes de los 6 meses se ha probado el sabor y la tolerancia del caldo de verduras. Ahora hay que agregar el puré bien cocido de una mezcla sobre todo de patatas, zanahorias, judías verdes y calabacín, aunque pueden haber pequeñas cantidades de tomate, puerros, etc. Deben evitarse verduras como la col, la coliflor, el pimiento, el nabo, las espinacas y los espárragos. A este puré se añade alrededor de 30 g de carne magra, bien cocida y triturada.

La carne más recomendada inicialmente es el pollo: se tolera mejor, es menos alergénica, es decir, la que presenta menos reacciones anormales y tiene una riqueza en proteínas similar a otras carnes. El resto de éstas, como la de ternera, pueden darse más tarde.

Algunos lactantes pueden rechazar inicialmente este nuevo sabor. No hay que desanimarse e insistir en ofrecérselo diariamente, en la seguridad de que será aceptado. Es totalmente imprescindible para su nutrición. Es fundamental que el niño coma la carne, y no sólo el caldo que no tiene valor nutritivo.

Tradicionalmente, el puré de pollo con verduras constituye la comida del mediodía, la papilla de frutas por la tarde, y las papillas de cereales y las tomas de leche se dan por la mañana y la noche.

Además de los cereales y la fruta, antes de los 6 meses se introduce un nuevo sabor: el caldo de verduras.

A partir de los 6 meses de vida del bebé, hay que darle una papilla de puré de verduras con pollo. Las verduras de preferencia son patata, zanahoria y calabacín, a las que se añade 30 g de carne magra bien cocida y triturada.

Hay verduras que hay que evitar.

El pollo es la carne que mejor se digiere.

Es normal que inicialmente el lactante rechace los nuevos sabores. El puré de verduras con pollo es totalmente imprescindible para su nutrición después de los 6 meses.

El lactante entre los 7 y los 12 meses

En este período se produce la introducción progresiva de nuevos alimentos y el destete o supresión de las tomas de leche materna o de biberón. La edad del destete es variable con las circunstancias de cada niño, pero no es recomendable más tarde de los 9 meses.

El niño sigue incrementando su maduración digestiva y psicomotora, pero, en cambio, disminuye mucho el ritmo de crecimiento.

Entre los 6 y los 9 meses de vida, sólo aumenta de peso normalmente alrededor de 15 g diarios, es decir, 100 g semanales o alrededor de 450 g mensuales.

Entre los 9 y los 12 meses sigue disminuyendo el ritmo de crecimiento: aumenta de peso una media de 11 g diarios, es decir, 80 g semanales o 340 g mensuales.

Después de los 7 meses de vida ya se pueden dar las papillas de cereales con gluten (con trigo fundamentalmente), lo que significa una mejoría de sabor y de variedad. El lactante las toma muy bien y esto precipita el abandono del pecho materno o del biberón.

También a partir de los 7 meses se pueden dar galletas o bizcochos, prohibidos hasta este momento.

Muchos niños, a partir de los 7 meses toman:

- 2 papillas de cereales con leche adaptada de continuación (por la mañana y por la noche).
- 1 papilla de puré de verduras con carne, ya con 40 g de pollo (al mediodía).
- 1 papilla de frutas (por la tarde).
- 1 biberón o una tetada a medianoche o de madrugada.

A partir de los 9 meses son suficientes 4 comidas al día y comienza la introducción de nuevos alimentos, aunque nunca al mismo tiempo. La introducción es progresiva, comenzando por pequeñas cantidades para comprobar su tolerancia. Debe haber transcurrido por lo menos una semana después de haber introducido un alimento, antes de integrar el siguiente.

Los alimentos que se introducen a partir de los 9 meses son la yema de huevo (no la clara), el pescado, el yogur y el requesón.

La yema de huevo bien cocida se mezcla con el puré de verduras sustituyendo a la carne. Se comienza con media yema, para continuar con sólo dos medias yemas a la semana.

La clara de huevo o el huevo entero no se debe dar antes del año de vida.

Los pescados recomendados a partir de los 9 meses son los blancos, que se toleran mejor (merluza, fletán, gallo, etc.). Bien cocidos y triturados, inicialmente sólo una vez a la semana, con 40 g de pescado acompañados del puré de verduras, sustituyendo a la carne del mediodía.

El yogur natural y el requesón se incluyen en pequeñas cantidades con la merienda para complementar la papilla de frutas.

Durante todo el segundo semestre se debe conservar una ingesta diaria de 500 ml de leche adaptada de continuación, bien en biberón o bien formando parte de la papilla de cereales. La leche y sus derivados son insustituibles como fuente de calcio.

A partir de los 11 meses se introduce lentamente un nuevo alimento: el puré de legumbres (lentejas, judías, garbanzos). Se comienza con una pequeña cantidad de una sola legumbre, bien cocida y triturada, y se prueba la tolerancia. Puede sustituir al puré de verduras, alternando.

La trituración de los alimentos se debe disminuir progresivamente, pasando de un triturado muy fino a uno grueso para que el lactante se acostumbre a masticar. No obstante, el valor nutritivo es el mismo y hay niños que prefieren el alimento triturado hasta bastante mayores.

A los 12 meses, a partir del año de edad, se pueden introducir dos nuevos alimentos. Uno es clara de huevo, es decir, el huevo entero, siempre bien cocido y deshecho y comenzando con sólo medio huevo dos veces por semana.

El otro alimento que se puede incluir es la leche entera de vaca, sustituyendo a la leche adaptada. Es decir, a partir del año ya no se precisa esta leche especial, adaptada, y el niño puede tomar la leche entera que consume la familia. En el niño no son aconsejables las leches descremadas ni las semidescremadas, de mucho menor valor nutritivo.

A partir del año de edad ya son muy variados los alimentos que come el niño y ya pueden confeccionarse menús variados e individuales.

Entre los 7 y los 12 meses se produce el destete y la introducción de nuevos alimentos, siempre de manera progresiva y nunca brusca.

El lactante aumenta su maduración digestiva y psicomotora, pero disminuye mucho el ritmo de crecimiento.

A partir de los 7 meses, la papilla de cereales ya puede ser con gluten. Se pueden introducir las galletas o los bizcochos.

A partir de los 9 meses se incluyen la yema de huevo, el pescado blanco cocido, el yogur natural y el requesón, siempre comenzando con pequeñas cantidades, y no al mismo tiempo.

A partir de los 11 meses se introduce el puré de legumbres (lentejas, garbanzos, judías) en pequeñas cantidades.

A partir de los 12 meses ya se puede dar también la clara de huevo y puede sustituirse la leche adaptada por leche entera de vaca.

A partir del año de edad, la alimentación ya es variada y pueden prepararse menús individualizados.

Elasticidad de dietas y tomas

El segundo semestre de su vida es un período difícil porque el niño muestra sus preferencias entre los alimentos que se le ofrecen de nueva introducción, y debe producirse una adaptación progresiva.

Es normal que el niño rechace inicialmente algunos de los nuevos alimentos, pero esto no debe producir ninguna tensión en la interacción entre padres e hijos. La repetición de la oferta de un alimento, siempre de manera natural y sin forzar, conduce lentamente a una habituación al mismo.

La comida debe hacerse en un ambiente tranquilo, en una habitación preferentemente solitaria y sin ruidos ni estímulos exteriores que distraigan la atención del niño.

Siempre hay que evitar forzar la alimentación, permitiendo que el lactante deje de comer cuando muestre el menor deseo de hacerlo.

La elasticidad en las tomas siguiendo las preferencias individuales de cada niño debe combinarse con el establecimiento progresivo de buenos hábitos alimentarios y uno de ellos, a partir de esta edad, va a ser la variedad de alimentos.

Dentro de la variedad, para una nutrición adecuada, debe haber una proporción de determinados nutrientes y una ingesta mínima de otros. En el segundo semestre de vida son necesarias:

1.° Ingesta de 500 ml (medio litro) al día de leche o derivados

La leche y derivados son insustituibles como fuente de calcio, y esta ingesta mínima debe mantenerse no sólo durante el segundo semestre de la vida del niño sino durante toda su infancia.

Hasta los 9 meses, estos 500 ml se toman o bien en forma de lactancia materna, o bien, de leche adaptada; bien en biberón o formando parte de las papillas de cereales.

A partir de los 9 meses, parte de esta cantidad puede tomarse en forma de yogur natural o de requesón.

A partir de los 12 meses, parte de estos 500 ml pueden ser en forma de leche de vaca entera, bien sola o formando parte de papilla, bien en forma de yogur o de requesón, queso fresco blanco.

2.° Ingesta de 40 g de carne al día

La carne es imprescindible como fuente de aminoácidos esenciales y de hierro. Se debe comenzar dando 30 g al día de pollo a partir de los 6 meses de vida. En meses posteriores se aumenta la cantidad a 40 g diarios y se puede variar con ternera, hígado o cordero, siempre carnes magras, sin grasa, evitando el cerdo y los sesos.

A partir de los 9 meses, inicialmente un día a la semana y después dos días, una cantidad equivalente de pescado blanco cocido puede sustituir a la carne.

En el segundo semestre de su vida es normal el rechazo inicial del lactante a algún alimento nuevo.

La reiteración en la oferta de alimentos estimula su aceptación progresiva.

Nunca hay que forzar la alimentación.

Hay que establecer poco a poco el hábito de la variedad de alimentos.

Debe haber elasticidad en las preferencias de cada niño, pero con una ingesta mínima de los alimentos esenciales.

Un alimento no puede sustituir a otro de diferente grupo.

Durante todo el segundo semestre se deben ingerir 500 ml (medio litro) diarios de leche adaptada.

Después de los 12 meses, parte de estos 500 ml son en forma de leche entera de vaca, y parte de derivados lácteos (yogur y queso blanco).

Es necesaria la ingesta diaria de 30 a 40 g de carne o de pescado.

Las frutas, verduras y legumbres son insustituibles.

A partir de los 9 meses, son necesarias pequeñas ingestas semanales de yema de huevo.

3.º Las frutas, las verduras y las legumbres son imprescindibles

Estos alimentos no pueden ser sustituidos por cereales, ya que los nutrientes que contiene son totalmente diferentes.

4.º La yema de huevo es imprescindible

Aunque en pequeñas cantidades, dos medias yemas a la semana, la yema de huevo es fuente de ácidos grasos esenciales y vitaminas liposolubles.

5.º La alimentación debe hacerse variada

La alimentación variada consiste en el consumo de alimentos de diferentes grupos alimenticios.

Con la alimentación variada hay que entender bien el concepto de que se pueden intercambiar entre sí alimentos del mismo grupo, pero no de grupos diferentes.

Tarrinas y potitos

Los alimentos envasados para lactantes, tarrinas y potitos, son hoy día alimentos muy controlados y seguros. En ocasiones, son necesarios para variar y educar el sabor ante el rechazo del lactante por los sabores nuevos.

Aunque sean preferibles las comidas caseras, en ocasiones es inevitable su uso en viajes, desplazamientos, vacaciones, etc., en que es difícil cocinar.

Debe instaurarse la precaución de la variedad y tener en cuenta que unos alimentos no pueden sustituir a otros de distinto grupo.

Las tarrinas y potitos de alimentos envasados para lactantes son seguros, y a veces imprescindibles en viajes y vacaciones.

Errores alimentarios en el segundo semestre de la vida

En el segundo semestre de vida, los errores pueden ser numerosos y con importante repercusión nutricional, ya que es una época de transición, a veces difícil. Resumiremos brevemente los más frecuentes.

1.º Retraso en la introducción de la alimentación complementaria

La alimentación complementaria no debe iniciarse más tarde de los 6 meses de vida. A esta edad, la alimentación láctea exclusiva, sea lactancia materna o leche adaptada, comienza a ser insuficiente en nutrientes como aminoácidos esenciales, hierro y algunas vitaminas, e incluso energía.

El retraso en la introducción de la alimentación complementaria puede provocar déficit de algunos de estos nutrientes, e incluso desnutrición.

2.º Sobrealimentación

La alimentación complementaria es más densa en consistencia y, por tanto, más rica en nutrientes que la leche materna y la adaptada. Estas tienen aproximadamente 67 kcal por 100 ml, mientras que las papillas suman alrededor de 100 kcal por 100 ml. Por tanto, no es necesario ingerir tanto volumen para disponer de la misma cantidad de nutrientes.

Además, el ritmo de crecimiento disminuye mucho en el segundo semestre y, por tanto, se necesita menos ingesta.

El error alimenticio conocido como sobrealimentación, consiste en desconocer estos hechos y suministrar al lactante una cantidad excesiva de alimentos. Recordemos que entre los 3 y los 6 meses de edad son suficientes 4 o 5 tomas de 170-180 ml cada una, y que el volumen total no debe aumentar en los siguientes meses: entre el 7º y 8º mes son suficientes 4 tomas de alrededor de 230 ml cada una, y entre el 9º y el 12º mes 4 tomas de 250 ml cada una.

3.º Alimentación farinácea

La papilla de cereales es la mejor adaptada, ya que es innata la preferencia por el sabor dulce.

La aceptación de los sabores salados y ácidos requiere siempre un aprendizaje más o menos prolongado. Si no se produce la aceptación de las frutas, las legumbres y la carne con verduras y la alimentación es a base de papilla de cereales, las consecuencias nutricionales pueden ser graves. Puede suponer carencia de proteínas y aminoácidos esenciales, de hierro y de vitaminas y oligoelementos.

El niño alimentado con excesiva cantidad de harinas de cereales puede aparentar un desarrollo físico normal, ya que ingiere mucha energía y desarrolla grasa, pero puede tener carencia en hematíes, en albúmina y ofrecer signos de carencia vitamínica.

4.º Alimentación sin carne

En ocasiones, la alimentación es aparentemente correcta y con el calendario de introducción de alimentos adecuado, pero se omite la ingesta de la carne de la papilla de verduras con carne.

Las consecuencias nutricionales pueden ser parecidas a las de la alimentación farinácea.

5.º Adelanto del calendario

El calendario nutricional expuesto es aproximado y ha variado mucho históricamente y probablemente variará en las próximas décadas, por lo que, en ocasiones, el adelanto en el calendario de introducción de alimentos es perfectamente tolerado por el lactante.

Sin embargo, un adelanto exagerado tiene más riesgo de las llamadas «intolerancias alimenticias», que pueden desembocar en enfermedades.

En casos de dudas y variaciones individuales, la madre debe consultar con el pediatra.

6.º No mantener ritmos horarios

El horario de las tomas debe ser organizado, no estricto, pero regular. Las grandes variaciones de horarios perjudican la digestión y pueden alterar los ritmos metabólicos.

7.º Forzar al niño a comer

La comida debe ser un acto agradable de interacción madre-hijo, sin ninguna tensión. Nunca hay que forzar a comer y crear tensión. Si el niño pierde el apetito puede ser por una circunstancia transitoria, en cuyo caso desaparecerá pronto, o porque el niño esté enfermo, entonces, lógicamente hay que consultar con el pediatra.

En las enfermedades infecciosas, sobre todo si cursan con fiebre, se pierde completamente el apetito como un mecanismo defensivo y reaparece espontáneamente con la curación.

8.º Añadir sal y azúcar a los alimentos

No se debe añadir ni azúcar ni sal a ningún alimento antes del año de vida.

El consumo excesivo, tanto de azúcar como de sal, puede ser perjudicial para el niño. Hay que evitar los dulces, las golosinas y las bebidas azucaradas. Entre las tomas se les debe ofrecer agua pura, pero ninguna otra bebida.

Los errores alimentarios más frecuentes durante el segundo semestre de vida son:

- Retraso en la introducción de la alimentación complementaria, que puede provocar déficit nutritivo.
- Sobrealimentación, por no tener en cuenta que la alimentación es más densa, con más nutrientes, y las necesidades son menores ya que disminuye el ritmo de crecimiento.
- Alimentación farinácea, por excesiva ingesta de harinas de cereales y escasa de carne, de frutas y de verduras. Puede conducir a graves carencias nutricionales.
- Alimentación sin carne, con consecuencias similares a la anterior.
- Adelanto del calendario de introducción de alimentos.
- No mantener ritmos horarios.
- Forzar al niño a comer.
- Añadir sal y azúcar a los alimentos.

Tercera parte:
Alimentación del niño
y del adolescente

10

Alimentación
del niño de 1 a 3 años

A partir del año de vida empieza la edad preescolar del niño, que comprende hasta los 6 años, aunque desde el punto de vista nutritivo se diferencia el período de 1 a 3 años, que expondremos en este capítulo, y el de 4 a 6 años, que ocupará el capítulo siguiente.

Hasta el año de vida la alimentación del lactante está muy regulada, como se ha explicado en los capítulos anteriores. Después del año de vida ya son muy numerosos los alimentos que puede tomar el niño y, por tanto, hay mayor peligro de que la dieta no sea la correcta, es decir, de cometer errores en la alimentación.

Hay unas recomendaciones nutricionales generales que ya se pueden aplicar desde el año de vida y que sirven para toda la infancia y la adolescencia.

1. La alimentación debe ser siempre variada

Hay que consumir diariamente alimentos de todos los grupos, y además, aproximadamente en la proporción que indica la pirámide de alimentos. Una dieta incorrecta es consumir cantidades excesivas de un grupo de alimentos y poco o ninguno de otros grupos.

2. Elegir alimentos naturales

Son preferibles los alimentos naturales, poco manipulados. Los productos muy elaborados de la industria alimenticia suelen contener mayor cantidad de grasa saturada, además de conservantes. Por ejemplo, entre las múltiples ofertas de yogur siempre hay que preferir el yogur natural simple. Las verduras frescas son mejor opción que las congeladas y éstas son preferibles a las enlatadas.

3. Evitar las grasas saturadas

Las carnes deben ser lo más magras posible, sin grasa. Son preferibles las de aves, aunque la ternera, el cordero y el hígado son excelentes alimentos. Conviene evitar el cerdo y, sobre todo, embutidos y salchichas.

Las hamburguesas comerciales contienen grasa añadida. Es preferible la carne de ternera picada en forma de hamburguesa.

Son preferibles las carnes cocidas o asadas más que las fritas. Hay que evitar condimentos y salsas.

Hay que evitar el tocino y la mantequilla.

4. Las frutas y verduras son insustituibles

No hay otro alimento que contenga los nutrientes que proporcionan las frutas y verduras, por lo que deben consumirse diariamente. Las verduras con más folatos son las de hoja oscura. Conviene variar las frutas y verduras según la temporada, aunque se pueden respetar las preferencias del niño.

5. La leche y derivados son insustituibles

La leche, el yogur y los quesos son fuente insustituible de calcio y además, buena fuente de proteínas y de ácidos grasos.

En el niño y el adolescente, salvo casos muy especiales (obesidad, diabetes), la leche debe ser siempre entera de vaca. No están indicadas las leches descremadas o las vegetales en niños normales.

De entre los quesos deben elegirse los menos grasos: queso fresco, requesón y tipo Burgos. No es conveniente el consumo de nata, mantequilla y natillas.

6. El pescado y los aceites

El pescado y los aceites de oliva, maíz y girasol contienen grasas insaturadas muy convenientes para el organismo. No es conveniente, en cambio, los alimentos con aceite de coco y palma.

7. Las legumbres

Lentejas, garbanzos y judías son excelentes alimentos.

8. El huevo

Es un excelente alimento y la yema un nutriente esencial. A partir del año de vida se pueden consumir dos huevos por semana, pero no son convenientes más de tres semanales.

A partir del año de vida, la alimentación debe ser variada, consumiendo diariamente alimentos de todos los grupos en proporciones adecuadas.

Son preferibles los alimentos naturales a los elaborados.

Evitar la grasa de la carne, tocino, embutidos y salchichas, así como las hamburguesas comerciales.

Las frutas y verduras son insustituibles. La leche es insustituible. De los quesos hay que evitar los grasos, así como la nata y la mantequilla.

Las legumbres, los pescados y los aceites de oliva, maíz y girasol son excelentes alimentos.

Características y necesidades nutritivas del niño de 1 a 3 años

El período entre el año y los 3 años de vida se caracteriza por ser una época de tránsito entre el crecimiento acelerado del lactante y el crecimiento estable del niño, que se prolongará hasta el inicio de la pubertad.

El aumento de peso es ahora tan sólo de 200 g mensuales, es decir, poco más de 2 kg anuales. Este es un hecho muy importante, ya que los padres pueden esperar equivocadamente un aumento mayor. Al disminuir normalmente el ritmo del crecimiento las necesidades de energía y de nutrientes no son tan elevadas como durante el primer año de vida y son de alrededor de 1.000 kcal diarias al año de vida, aumentando a 1.300 kcal diarias a los 3 años.

Como media se han confeccionado menús de alrededor de 1.300 kcal diarias, que se expondrán en el apartado siguiente.

El equilibrio nutricional recomendado no varía mucho del que se recomienda para el adulto, es decir, el 12 a 15% de las calorías en forma de proteínas, el 30% en forma de lípidos o grasas y del 55 al 58% de hidratos de carbono o azúcares.

La edad preescolar es la esencial para adquirir hábitos alimentarios saludables en los que influyen factores sociales, familiares y ambientales. Dos excelentes hábitos son la alimentación variada y comer con moderación, y deben comenzar a inculcarse ya a esta edad.

Al año de vida, el niño además de una alimentación ya variada ha adquirido un desarrollo psicomotor que ya le permite sentarse a comer con la familia y participar activamente en la comida.

A partir del año y medio o los dos años, el niño ya debe comer solo, aunque siempre asistido por los padres.

Debe mantenerse el ritual de sociabilidad, de que el niño coma acompañando a la familia, si está en casa, o junto a los niños de su edad, si es en la guardería. La comida en común estimula la variabilidad en las apetencias alimentarias.

Deben mantenerse los ritmos horarios de las comidas y evitar las grandes variaciones. Debe favorecerse un ambiente de tranquilidad y sociabilidad. Si es posible, debe evitarse que el televisor esté encendido.

Hay que evitar la alimentación forzada. Una característica del niño en la edad preescolar es la gran variabilidad que presenta en cuanto a la ingesta alimenticia de una comida a otra, aunque la media de ingesta diaria es relativamente constante.

Un aspecto fundamental es evitar el consumo de pequeñas cantidades de alimento entre las comidas, cosa que se llama vulgarmente picoteo. Éste rompe el ritmo alimenticio y disminuye el apetito.

También hay que evitar los dulces, las golosinas y las bebidas azucaradas, sobre todo entre comidas. Si es inevitable algún tipo de consumo debe ser el menor posible y al final de la comida.

Se debe seguir con las 4 comidas fundamentales (desayuno, comida, merienda y cena) aunque algunos niños toman algo a media mañana. La distribución ideal de nutrientes es de un 25% en el desayuno, un 30% en la comida, un 15% entre la merienda y la toma de media mañana y un 30% en la cena. Hay que evitar comportamientos caprichosos, aunque sin insistir excesivamente. Las reacciones negativas del niño suelen ser el resultado natural de una presión excesiva durante las comidas.

Entre el año y los 3 años de vida sigue disminuyendo el ritmo de crecimiento, y las necesidades de nutrientes no son tan elevadas como en las épocas de mayor crecimiento.

Se precisan alrededor de 1.000 kcal diarias al año de vida, y alrededor de 1.300 kcal diarias a los 3 años.

Es la edad esencial para adquirir hábitos alimentarios saludables.

Debe incrementarse la alimentación variada y favorecer la sociabilidad con la comida en familia.

Hay que evitar forzar la alimentación.

Hay que evitar el picoteo y el consumo de golosinas, dulces y bebidas azucaradas.

La dieta equilibrada tiene un 12 a un 15% de calorías procedente de proteínas, un 30% de grasas y un 55 a 58% de hidratos de carbono.

Menús de 1.300 kcal diarias para niños sanos entre 1 y 3 años de edad

Se exponen 7 menús de 1.300 kcal cada uno, aunque los niños más pequeños sólo precisan alrededor de 1.000 kcal diarias, es decir, las tres cuartas partes de las cantidades indicadas.

Los menús son equilibrados en nutrientes y mantienen la proporción de raciones de grupos de alimentos explicada en la pirámide alimentaria. Se incluyen, además de las cuatro comidas, una pequeña toma de media mañana.

En todas las dietas, el colesterol constituye sólo de 10 a 20 mg por cada 100 kcal. Para conseguir mejor proporción de ácidos grasos se utiliza tanto el aceite de oliva como el de maíz. Dado su mejor comportamiento al calentamiento se recomienda el aceite de oliva para cocinar y el de maíz para condimentar. La fruta se variará según la preferencia del niño, entre 150 g y 200 g por ración.

Lunes

Desayuno: leche y pan con mermelada.
Media mañana: yogur con galletas.
Comida: puré de verduras con pollo, pan y fruta.

Merienda: pan con jamón de York. Zumo de naranja.
Cena: ternera a la plancha con guarnición, pan y fruta.

Cantidades: lunes

Desayuno:	Leche entera de vaca	250 g
	Azúcar	5 g
	Pan	25 g
	Mermelada	10 g
Media mañana:	Yogur natural	125 g Galletas
dulces	20 g	
Comida:	Pollo	60 g
	Patata	100 g
	Zanahoria	100 g
	Aceite de maíz	5 g
	Pan	25 g
	Fruta	150 g
Merienda:	Pan	25 g
	Jamón de York	25 g
	Zumo de naranja	150 g
Cena:	Ternera	50 g
	Patata cocida	50 g
	Guisantes y zanahorias	125 g
	Aceite de maíz	5 g
	Pan	25 g
	Fruta	200 g

Martes

Desayuno: leche y pan con margarina.
Media mañana: fruta.
Comida: jamón de York con rodajas de tomate y puré de legumbres. Pan.
Fruta.
Merienda: yogur natural con trozos de fruta.
Cena: arroz blanco con tomate frito. Merluza hervida con verdura. Fruta.

Cantidades: martes

Desayuno:	Leche entera de vaca	250 g
	Azúcar	5 g
	Pan	35 g
	Margarina vegetal	5 g
Media mañana:	Fruta	200 g
Comida:	Jamón de York	35 g
	Tomate	150 g
	Puré de patatas y judías	75 g
	Aceite de oliva	5 g
	Aceite de maíz	5 g
	Pan	30 g
	Fruta	150 g
Merienda:	Yogur natural	125 g
	Trozos de fruta	100 g
Cena:	Arroz blanco	35 g
	Tomate	100 g
	Merluza	65 g
	Verdura	50 g
	Aceite de oliva	5 g
	Fruta	150 g

Miércoles

Desayuno: leche con galletas.
Media mañana: pan con queso blanco descremado.
Comida: cordero con pisto. Pan. Fruta.
Merienda: yogur natural con trozos de fruta.
Cena: pescado blanco con puré de verduras. Fruta.

Cantidades: miércoles

Desayuno:	Leche	250 g
	Azúcar	5 g
	Galletas dulces	15 g
Media mañana:	Pan	35 g
	Queso blanco	25 g

Comida:		
	Cordero	50 g
	Pisto	250 g
	(patata cocida, calabacín, tomate y cebolla)	
	Aceite de oliva	10 g
	Pan	35 g
	Fruta	150 g
Merienda:	Yogur natural	125 g
	Trozos de fruta	150 g
Cena:	Pescado blanco (fletán)	75 g
	Puré	140 g
	(patata, zanahoria, guisantes y judías)	
	Harina de trigo	10 g
	Aceite de oliva	5 g
	Fruta	150 g

Jueves

Desayuno: leche con galletas.
Media mañana: pan con jamón de York.
Comida: macarrones con carne picada. Pan. Fruta.
Merienda: yogur con trozos de fruta. Galletas.
Cena: sardinas con tomate y patatas. Pan. Fruta.

Cantidades: jueves

Desayuno:		
	Leche	250 g
	Azúcar	5 g
	Galletas	20 g
Media mañana:	Pan	30 g
	Jamón de York	20 g
Comida:	Macarrones	30 g
	Tomate	100 g
	Carne ternera	30 g
	Queso rallado	15 g
	Aceite de oliva	5 g
	Pan	25 g
	Fruta	200 g
Merienda:	Yogur	125 g

Trozos de fruta	50 g
Galletas	10 g

Cena:	Sardinas o boquerones frescos	60 g
	Patata cocida	75 g
	Tomate	100 g
	Aceite de oliva	10 g
	Pan	30 g
	Fruta	150 g

Viernes

Desayuno: leche con galletas.
Media mañana: pan con margarina. Zumo de naranja.
Comida: lentejas con arroz y lomo. Pan. Fruta.
Merienda: leche y fruta.
Cena: coliflor gratinada con queso y bechamel. Merluza hervida con tomate y verdura. Pan. Fruta.

Cantidades: viernes

Desayuno:	Leche	250 g
	Azúcar	5 g
	Galletas dulces	20 g
Media mañana:	Pan	30 g
	Margarina vegetal	5 g
	Zumo naranja	125 g
Comida:	Lentejas	20 g
	Arroz blanco	20 g
	Lomo de cerdo	30 g
	Aceite de oliva	5 g
	Pan	25 g
	Fruta	200 g
Merienda:	Leche	250 g
	Azúcar	5 g
	Fruta	150 g
Cena:	Coliflor	50 g
	Bechamel: Leche de vaca	20 g
	Harina de trigo	15 g
	Aceite de oliva	5 g

Queso	15 g
Merluza	40 g
Tomate	75 g
Zanahoria	75 g
Aceite de maíz	5 g
Pan	25 g
Fruta	150 g

Sábado

Desayuno: leche. Pan con mermelada.
Media mañana: mandarinas o naranjas.
Comida: puré de verduras. Higaditos de pollo con cebolla. Pan. Fruta.
Merienda: yogur con galletas.
Cena: hervido de patata y verdura. Huevo frito con tomate. Pan. Fruta.

Cantidades: sábado

Desayuno:	Leche	250 g
	Azúcar	5 g
	Pan	30 g
	Mermelada	5 g
Media mañana:	Mandarinas o naranja	150 g
Comida:	Judías verdes	40 g
	Patata cocida	100 g
	Zanahoria	100 g
	Hígado de pollo	40 g
	Cebolla	50 g
	Aceite de oliva	5 g
	Pan	25 g
	Fruta	150 g
Merienda:	Yogur	125 g
	Galletas dulces	25 g
Cena:	Patata	50 g
	Verdura (espinacas)	50 g
	Aceite de maíz	5 g
	Huevo entero	50 g
	Tomate	25 g

Aceite de oliva		5 g	
Pan		25 g	
Fruta		200 g	

Domingo

Desayuno: leche con galletas.
Media mañana: yogur.
Comida: paella. Pan. Fruta.
Merienda: pan con queso de Burgos. Fruta.
Cena: merluza rebozada con rodajas de tomate. Pan. Fruta.

Cantidades: domingo

Desayuno:	Leche	250 g	
	Azúcar	5 g	
	Galletas	25 g	
Media mañana:	Yogur natural	125 g	
Comida:	Paella: Arroz	30	g
	Judías verdes	30	g
	Alcachofa	30	g
	Tomate	30	g
	Conejo	30	g
	Pollo	30	g
	Aceite de oliva	5 g	
	Pan	25 g	
	Fruta	200 g	
Merienda:	Pan	35 g	
	Queso de Burgos	20 g	
	Fruta	150 g	
Cena:	Merluza	50 g	
	Harina	10 g	
	Aceite de oliva	5 g	
	Tomate	100 g	
	Aceite de maíz	5 g	
	Pan	35 g	
	Fruta	200 g	

Errores en la alimentación del niño de 1 a 3 años

Describiremos brevemente los más frecuentes:

1. Desequilibrios en la dieta

Las dietas expuestas son equilibradas y variadas. Las preferencias alimenticias del niño por un grupo de alimentos pueden reducir el consumo de otros grupos, con el desequilibrio nutritivo como consecuencia.

Los desequilibrios más frecuentes son:

- Consumo excesivo de lácteos y derivados. El consumo diario de lácteos debe ser el equivalente a 500 g, medio litro, de leche entera de vaca. Con la toma de leche por la mañana y otra toma con la merienda o a media mañana, de leche, de yogur o de queso quedan cubiertas estas necesidades. Un consumo mayor no es perjudicial en modo alguno, ya que la leche es un alimento excelente. Sólo no es beneficioso si su consumo excesivo disminuye el aporte de otro alimento.

- Consumo excesivo de proteínas animales. En todos los menús hay alrededor de 90 a 100 g diarios con la suma de carne y pescado. No se precisan mayores cantidades, pero tampoco menos. Casi siempre se alterna carne con la comida y pescado con la cena aunque, en ocasiones, hay dos raciones diarias de carne. Una o dos veces por semana, pero no más de tres, una de estas raciones se debe sustituir por un huevo entero.

- Consumo escaso de frutas, verduras y legumbres. Estos grupos alimenticios son muy abundantes en los menús, pero no suelen ser los preferidos de los niños, y es un error frecuente dar menores cantidades que las indicadas.

2. Acostumbrar al niño a golosinas, dulces y bebidas azucaradas

Estos productos son malos alimentos, ya que contienen azúcares simples, menos adecuados que los almidones o azúcares complejos. Es frecuente que su consumo disminuya el apetito para ingerir los nutrientes necesarios, ya que el niño está saciado. Provocan la caries, y su consumo excesivo favorece la obesidad.

3. Dar al niño frutos secos (cacahuetes, pipas, etc.)

Además de ser alimentos incorrectos para esta edad, existe peligro de atragantamiento por el paso a la tráquea, y peligro de obstrucción respiratoria.

4. Forzar la alimentación del niño

Es un error que se comete frecuentemente y debe evitarse en todas las edades.

Los menús deber ser variados y guardar la proporción de grupos de alimentos que indica la guía pirámide.

Las preferencias del niño por un grupo de alimentos pueden reducir el consumo de otros, desequilibrando la dieta.

Hay que garantizar el consumo diario de 500 g de leche entera de vaca o su equivalente en derivados lácteos, es decir, dos tomas diarias. Un mayor consumo no es perjudicial, siempre que no se disminuya la ingesta de otros grupos.

Hay que asegurar el consumo diario de 90 a 100 g de la suma de carnes y pescados. Una ingesta mayor no es beneficiosa.

Un error alimentario frecuente es la escasa ingesta de frutas, verduras y legumbres.

No hay que dar al niño golosinas, dulces y bebidas azucaradas.

No hay que dar al niño frutos secos, por el peligro de atragantamiento.

Nunca hay que forzar a comer a un niño.

11

Alimentación del niño de 4 a 6 años

A los 4 años, el grado de madurez alcanzado por los órganos y sistemas del niño ya es similar al del adulto. Puede comenzar a comer alimentos que no eran adecuados hasta esta edad por ser más difíciles de digerir. Puede participar todavía más de la comida familiar porque su dieta ya es más variada.

Es la edad en que hay que acentuar la educación nutricional porque pueden quedar marcados los hábitos alimenticios.

Características y necesidades nutritivas del niño de 4 a 6 años

Continúa el descenso del ritmo de crecimiento, es decir, normalmente se aumenta menos en peso y en talla que en los años anteriores.

El aumento de peso a esta edad es menor de 200 g mensuales, con una media de aumento de 500 g trimestrales y de 2.000 g (2 kg) anuales. Por esta razón, las necesidades de nutrientes aumentan poco.

A esta edad ya puede comenzar a haber variación en la actividad física de cada niño, incluso diferencias de sexo, y la ingesta de nutrientes debe adaptarse a estos factores.

El niño de 4 años con actividad física escasa o ligera debe ingerir sólo alrededor de 1.300 kcal diarias. Si la actividad es moderada, debe ingerir 1.400 kcal diarias.

El niño de 6 años con actividad física ligera debe ingerir alrededor de 1.500 kcal diarias. Si la actividad física es moderada debe ingerir 1.700 kcal diarias, y el niño de 6 años con intensa actividad física puede precisar hasta 1.900 kcal diarias. En las niñas, estas cifras disminuyen entre 100 y 150 kcal al día.

En la educación nutricional o educación alimenticia la familia tiene una importancia esencial. Los padres deben ofrecer alimentos saludables y variados. La preferencia de los alimentos se adquiere después de repetidas asociaciones positivas sensoriales y sociales que generan su consumo. La familia debe consumir el alimento saludable, al mismo tiempo que se le ofrece repetidamente al niño, que imita el comportamiento de los padres dentro de un ambiente no coercitivo.

El control familiar excesivamente rígido, coercitivo o estricto puede generar en el niño reacciones negativas. Tampoco son aconsejables los sistemas de premios y recompensas para que el niño coma, ya que a medio plazo también ocasionan reacciones negativas del niño.

Las propiedades de sabor y de gusto de los alimentos, llamadas propiedades organolépticas, ejercen una influencia de atracción al niño, que no siempre es beneficiosa. Concretamente los alimentos grasos suelen ser los más atractivos a los sentidos y hay que educar para evitar que se conviertan en los alimentos preferidos. Las golosinas, las tartas, las patatas fritas, los caramelos, los helados y la bollería industrial son alimentos que hay que evitar porque son ricos en grasas saturadas, en azúcares simples y en sal.

El consumo excesivo de grasas saturadas, de azúcares simples y de sal puede tener a largo plazo graves repercusiones en la salud, ya que son factores que predisponen a la obesidad, a la ateroesclerosis y a la hipertensión arterial.

La edad preescolar suele fijar las preferencias alimentarias y la educación nutricional debe luchar con la mayor aceptación de los alimentos poco sanos (helados, pasteles, chocolates, bollería), ya que además de ser más gustosos, de mejor sabor, son menos saciadores del apetito, por lo que el niño puede consumirlos en mayor cantidad. Al contrario, los alimentos sanos, ricos en fibra, proteínas, vitaminas y oligoelementos, así como en azúcares complejos (verduras, pan, pescados, patatas), son menos gustosos, con menor palatabilidad y además son más saciadores, por lo cual, con menor cantidad consumida se agota el apetito.

En la edad preescolar es normal y frecuente que el niño tenga épocas de poco apetito, de caprichos alimenticios, o que rechace los nuevos alimentos. En ocasiones es difícil de comprender por los padres que estos hechos son normales. No hay que perder la paciencia, debe optarse por seguir ofreciendo con naturalidad y sin ansiedad los alimentos saludables y no caer en la tentación de utilizar distracciones o trucos para que el niño coma.

Nunca hay que forzar al niño a comer.

El niño de 4 años ya tiene su aparato digestivo totalmente establecido y su dieta puede ser todavía más variada.

Sigue disminuyendo el ritmo de crecimiento normal y sólo aumenta una media de 2.000 g anuales.

Las necesidades nutritivas son a los 4 años de 1.300 a 1.400 kcal diarias, y a los 6 años entre 1.700 y 1.900 kcal diarias, según su actividad física.

Entre los 4 y los 6 años pueden quedar marcados los hábitos alimentarios, por lo que hay que incrementar la educación nutricional.

La familia, sobre todo los padres, debe formar los hábitos nutritivos ofreciendo repetidamente los alimentos saludables y variados, dentro de un ambiente no coercitivo.

Los alimentos no saludables son los que tienen grasas saturadas, azúcares simples y sal: golosinas, helados, tartas, patatas fritas y bollería industrial. Lamentablemente, estos alimentos son más atractivos para el gusto del niño que los ciertamente saludables, por lo que la educación nutricional es difícil en muchos niños.

En la edad preescolar son normales los períodos de escaso apetito. No hay que utilizar distracciones o trucos para que el niño coma.

Nunca hay que forzar a comer al niño.

Menús de 1.800 kcal para niños sanos de 4 a 6 años

Se exponen 7 menús de 1.800 kcal diarias, como media, para cubrir las variaciones individuales de cada niño según su edad, peso y actividad física.

Recordemos que a los 4 años son suficientes alrededor de 1.400 kcal, es decir, menos cantidades de los menús completos expuestos.

La proporción de macronutrientes es la recomendada (proteínas el 15% de las calorías, grasas el 30% e hidratos de carbono el 55%), con no más del 10% de la grasa en forma de grasa saturada. El aporte de colesterol es de alrededor de 15 mg por cada 100 kcal, es decir, un aporte diario de alrededor de 250 mg al día, menor de la cifra límite recomendada de 300 mg diarios.

Lunes

Desayuno: leche. Tostadas con mermelada.
Media mañana: pan con jamón de York. Zumo de naranja.
Comida: crema de champiñones. Conejo al horno. Ensalada. Pan. Fruta.
Merienda: yogur. Fruta.
Cena: coliflor con bechamel. Pan con tomate y atún en aceite. Fruta.

Cantidades: lunes

Desayuno:	Leche entera de vaca	250 g
	Azúcar	5 g
	Pan	30 g
	Mermelada	10 g
Media mañana:	Pan	50 g
	Jamón de York	25 g
	Zumo de naranja	125 ml
Comida:	Champiñón	50 g
	Patata cocida	100 g
	Cebolla	50 g
	Margarina vegetal	5 g
	Leche de vaca	25 g
	Conejo	75 g
	Lechuga	100 g
	Tomate	150 g
	Aceite de oliva	5 g
	Pan	50 g
	Fruta	200 g
Merienda:	Yogur	200 g
	Fruta	200 g
Cena:	Coliflor	75 g
	Bechamel: Leche de vaca	25 g
	Harina de trigo	10 g
	Atún en aceite (lata)	30 g
	Tomate	50 g
	Pan	50 g
	Fruta	200 g

Martes

Desayuno: leche. Galletas con margarina.
Media mañana: pan con *foie-gras* y queso blanco.
Comida: sopa o puré de tapioca. Cordero con patatas y ensalada.
Pan. Fruta.
Merienda: yogur con galletas.
Cena: espinacas con patatas. Sardinas con tomate. Pan. Fruta.

Cantidades: martes

Desayuno:	Leche entera de vaca	250 g
	Azúcar	5 g
	Galletas dulces	30 g
	Margarina vegetal	5 g
Media mañana:	Pan	50 g
	Foie-gras	30 g
	Queso blanco	30 g
Comida:	Tapioca o mandioca	30 g
	Patata cocida	75 g
	Chuletita de cordero	75 g
	Lechuga	100 g
	Zanahoria	50 g
	Tomate	20 g
	Aceite de maíz	5 g
	Pan	25 g
	Fruta	200 g
Merienda:	Yogur natural	200 g
	Galletas dulces	25 g
Cena:	Patata cocida	100 g
	Espinacas	100 g
	Aceite de maíz	5 g
	Sardina o boquerón fresco	50 g
	Tomate	100 g
	Aceite de oliva	5 g
	Pan	50 g
	Fruta	200 g

Miércoles

Desayuno: leche con galletas.
Media mañana: pan con jamón serrano o de York.
Comida: lentejas con arroz. Pescado con ensalada. Pan. Fruta.
Merienda: leche. Fruta.
Cena: berenjenas asadas. Salchichas con tomate frito y patatas.
Fruta. Pan.

Cantidades: miércoles

Desayuno:	Leche entera de vaca	250 g
	Azúcar	5 g
	Galletas dulces	30 g
Media mañana:	Pan	60 g
	Jamón serrano o de York	30 g
Comida:	Lentejas	25 g
	Arroz blanco	10 g
	Cebolla	25 g
	Pescado blanco	80 g
	Tomate	100 g
	Pepino	50 g
	Aceite de maíz	5 g
	Pan	30 g
	Fruta	200 g
Merienda:	Leche de vaca	250 g
	Fruta	200 g
Cena:	Berenjena	100 g
	Harina de trigo	10 g
	Tomate	100 g
	Aceite de maíz	5 g
	Salchicha	50 g
	Patata cocida	100 g
	Aceite de oliva	5 g
	Pan	30 g
	Fruta	200 g

Jueves

Desayuno: leche. Tostadas con mermelada.
Media mañana: pan con chocolate.
Comida: cocido de garbanzos con carne, patatas, acelgas y chorizo. Pan. Fruta.
Merienda: pan con salchichón. Leche.
Cena: judías verdes con patatas. Pescado blanco a la plancha, con ensalada.
Pan. Fruta.

Cantidades: jueves

Desayuno:	Leche de vaca	250 g
	Azúcar	5 g
	Pan	30 g
	Mermelada	5 g
Media mañana:	Pan	30 g
	Chocolate con leche	20 g
Comida:	Garbanzos	30 g
	Patata cocida	75 g
	Acelgas	50 g
	Chorizo	20 g
	Carne de vaca	30 g
	Tomate	100 g
	Cebolla	25 g
	Aceite de oliva	5 g
	Pan	50 g
	Fruta	200 g
Merienda:	Pan	50 g
	Salchichón	30 g
	Leche de vaca	100 g
Cena:	Judías verdes	100 g
	Patata cocida	100 g
	Pescado blanco	100 g
	Tomate	100 g
	Zanahoria	50 g
	Maíz cocido	50 g

Pepino		30 g
Aceite de maíz		5 g
Pan		40 g
Fruta		200 g

Viernes

Desayuno: leche con miel. Galletas.
Media mañana: pan con queso.
Comida: macarrones con tomate. Ternera a la plancha con patata asada y ensalada. Fruta.
Merienda: flan. Zumo de naranja.
Cena: hervido. Mero con ensalada. Pan. Fruta.

Cantidades: viernes

Desayuno:	Leche de vaca	250 g
	Miel	10 g
	Galletas dulces	25 g
Media mañana:	Pan	50 g
	Queso	25 g
Comida:	Pasta, macarrones	25 g
	Chorizo en trocitos	20 g
	Tomate	100 g
	Cebolla	25 g
	Aceite de oliva	5 g
	Ternera	70 g
	Patata cocida	50 g
	Zanahoria	100 g
	Aceite de maíz	5 g
	Fruta	200 g
Merienda:	Flan	125 g
	Zumo de naranja	100 g
Cena:	Patata cocida	70 g
	Espinacas	50 g
	Aceite de oliva	5 g
	Mero o emperador	80 g

Tomate	100 g
Pepino	30 g
Aceite de maíz	5 g
Pan	40 g
Fruta	200 g

Sábado

Desayuno: chocolate a la taza. Pan con margarina.
Media mañana: pan con salchichón. Zumo de naranja.
Comida: alubias estofadas. Hígado con patatas asadas. Ensalada. Pan. Frutas.
Merienda: yogur. Fruta.
Cena: hervido. Tortilla de champiñones. Ensalada. Pan. Fruta.

Cantidades: sábado

Desayuno:	Leche de vaca	200 g
	Chocolate en polvo	10 g
	Azúcar	5 g
	Pan	25 g
	Margarina vegetal	5 g
Media mañana:	Pan	50 g
	Salchichón	25 g
	Zumo de naranja	150 g
Comida:	Judías o alubias secas	30 g
	Cebolla	30 g
	Aceite de oliva	5 g
	Hígado de cerdo o de cordero	75 g
	Patata cocida	75 g
	Aceite de oliva	5 g
	Lechuga	50 g
	Tomate	100 g
	Zanahoria	50 g
	Aceite de maíz	5 g
	Pan	30 g
	Fruta	200 g

Merienda:	Yogur natural	125 g
	Fruta	200 g
Cena:	Patata cocida	100 g
	Judías verdes	100 g
	Huevo entero	50 g
	Champiñón	30 g
	Tomate	100 g
	Lechuga	100 g
	Pepino	50 g
	Aceite de maíz	5 g
	Pan	30 g
	Fruta	150 g

Domingo

Desayuno: leche con miel. Tostadas con margarina y mermelada.
Media mañana: galletas.
Comida: arroz a la marinera. Pan. Fruta.
Merienda: pan con queso.
Cena: crema de verduras. Merluza hervida con zanahoria y guisantes. Pan. Fruta.

Cantidades: domingo

Desayuno:	Leche de vaca	250 g
	Miel	5 g
	Pan	35 g
	Margarina vegetal	5 g
	Mermelada con azúcar	10 g
Media mañana:	Galletas dulces	20 g
Comida:	Arroz	30 g
	Tomate	100 g
	Guisantes	25 g
	Calamares	30 g
	Gambas	30 g
	Mero	30 g
	Aceite de oliva	5 g

	Pan	30 g
	Fruta	250 g
Merienda:	Pan	50 g
	Queso	25 g
Cena:	Patata cocida	100 g
	Puerros	50 g
	Merluza	80 g
	Zanahoria	50 g
	Guisantes	50 g
	Aceite de oliva	5 g
	Pan	50 g
	Fruta	200 g

El niño que no come

El rechazo a comer es un problema muy frecuente, motivo de preocupación para los padres y de numerosas consultas al pediatra.

Una causa habitual de la pérdida completa de apetito son las enfermedades, sobre todo aquellas agudas que cursan con fiebre. Ésta es una manifestación más de la enfermedad, totalmente normal en casi todas las enfermedades agudas. El niño pierde totalmente el apetito durante la enfermedad pero lo recupera espontáneamente con la curación. Es un error el tratar de forzar la alimentación. Lo correcto es ofrecer agua y alimentos líquidos (zumos, leche, sémolas muy ligeras) en pequeñas cantidades, para que el niño tome lo que quiera en pequeñas tomas. El niño pierde peso durante la enfermedad, que recuperará después.

Si el niño no está enfermo, la causa más frecuente de que no coma es el rechazo a que se le fuerce a hacerlo. Este concepto es difícil de entender, sobre todo por padres ansiosos que tienden a sobreproteger al niño. Si el adulto tiene más expectativas respecto al comportamiento del niño a la hora de comer y el niño no cumple esta expectativa, el adulto puede reaccionar de manera tensa y ansiosa, originando una respuesta también negativa y angustiada del niño, que rechaza la comida.

Es habitual para los pediatras el escuchar las quejas de las madres de niños sanos y con peso normal, que «no come nada», relatando los esfuerzos que realiza para que el niño coma y que han sido ineficaces.

Los esfuerzos para que el niño coma son auténticas batallas diarias en las que se enfrentan los métodos de los padres (de persuasión, de distracción, de soborno, de amenaza y de fuerza o castigo), con el niño preescolar, pequeño tirano que sabe que gana siempre. El método de persuasión consiste en intentar convencer al niño con argumentos. El de distracción está en entretener al niño con la televisión, contando cuentos, cantando o incluso haciendo piruetas. El método de soborno consiste en prometerle o darle al niño dulces, golosinas, llevarle a su sitio preferido, etcétera.

Si los métodos anteriores no dan resultado, los padres se ponen nerviosos y amenazan al niño con hechos nefastos que ocurrirán si no come. Si el niño sigue sin hacer caso es forzado físicamente a comer, apretándole. El niño también se resiste violentamente y la batalla acaba con llanto, el vómito que se provoca el propio niño y un gran malestar familiar general.

Otra variante es el método contrario, permitir los caprichos del niño, tolerar que coma lo que quiera y cuando quiera. El niño, victorioso en la batalla, tiene un comportamiento todavía más errático.

La conducta correcta es la contraria. El ambiente cordial y distendido en torno al alimento y a la hora de comer es el factor más importante que favorece la actitud positiva del niño frente a su comida. En el capítulo de la lactancia se ha explicado la interacción de la madre y su hijo a través de la alimentación. La ingestión del alimento es un acto afectivo que complace y refuerza la relación madre-hijo. Esta relación debe ser siempre satisfactoria, pero se puede romper con las conductas negativas relatadas, por discusiones y otras tensiones emocionales.

El ambiente positivo y relajado comienza con el reposo antes de la comida o una actividad tranquila, ya que los niños pequeños no comen bien si están cansados o excitados. Pero lo fundamental es tolerar las variaciones en el apetito. Aunque sea difícil, los padres nunca se deben sentir frustrados por la conducta aparentemente irracional del preescolar. Son normales las variaciones del apetito y hay que entenderlo así, sin que cause ansiedad ni tensión.

Los niños pueden descubrir muy precozmente que su comportamiento inapetente durante las horas de la comida es un arma poderosa para que se le conceda más atención, incluso para dominar o monopolizar a los padres a través de la tensión que crea el propio niño. Si se le presta una atención excesiva o ansiosa se refuerza y mantiene la conducta de inapetencia, que cada vez es más exagerada.

El rechazo a comer es un problema muy frecuente que motiva preocupación en los padres.

Una causa habitual son las enfermedades agudas, sobre todo si hay fiebre. Se deben ofrecer pequeñas cantidades de agua y de alimentos líquidos para que el niño beba, sin forzarlo, lo que quiera.

Si el niño no está enfermo, la causa más frecuente de que no coma es el rechazo a que se le fuerce a comer.

La comida precisa de un ambiente relajado y cordial. Los padres no deben reaccionar con tensión ni ansiedad ante el niño que no come. En el preescolar son normales las variaciones en el apetito.

No se debe prestar atención excesiva al niño inapetente para no reforzar su actitud. No se deben hacer esfuerzos de ningún tipo para que el niño coma. No debe recurrirse a esfuerzos de persuasión, ni de distracción, ni de soborno, ni de amenaza y, menos aún, de fuerza o castigo.

La conducta correcta es la contraria. En un ambiente de tranquilidad hay que retirar el plato hasta la comida siguiente, sin reproches ni enfados.

La conducta correcta para corregir estas situaciones es más fácil de explicar que de aplicar. Es difícil de aceptar por muchos padres, pero es la única efectiva y que beneficia al niño y a los padres. Consiste en una conducta de tranquilidad, retirando el plato y dando por concluida la comi-da, sin ningún tipo de comentario, ni reproche, ni enfado, ni malas caras, hasta la hora de la comida siguiente. No hay que tener miedo de que el niño «muera de hambre», ni ceder al capricho de comer a otra hora. El niño debe tener disciplina horaria, sin ser excesivamente rígida, pero sin caprichos.

12

Alimentación del niño de 7 a 10 años

En la edad escolar, aunque las necesidades para el crecimiento siguen siendo escasas, ya que el ritmo de aumento de peso sigue siendo lento, la actividad física es muy variable de un niño a otro, por lo que los requerimientos de energía y nutrientes van a variar mucho según cada caso individualmente.

Hay que favorecer la actividad física moderada y evitar el sedentarismo. A esta edad es conveniente estimular que el niño practique su deporte favorito. La actividad física favorece las funciones cardiorrespiratorias y musculoesqueléticas, mejora el metabolismo y previene la salud física y psíquica.

Características y necesidades nutritivas del niño de 7 a 10 años

A los 7 años, un niño con actividad física ligera precisa ingerir alrededor de 1.600 kcal diarias. Si la actividad física es moderada precisa 1.800 kcal y si es intensa necesita 2.000 kcal al día.

A los 10 años un niño con actividad física ligera precisa 1.900 kcal al día; si la actividad física es moderada, alrededor de 2.200 kcal y si la actividad física es intensa, como el deporte de competición, puede precisar 2.500 kcal al día.

En las niñas, las cifras disminuyen, en cada caso, entre 200 y 350 kcal al día.

A esta edad es importante que se observe la proporción de nutrientes que se ingiere en cada comida y, sobre todo, que se respete que en el desayuno se debe ingerir entre el 20 y el 25% de la energía diaria. El desayuno es una comida fundamental, ya que rompe el ayuno nocturno. El desayuno escaso o inadecuado es un error alimentario. Un error muy grave es el del niño que inicia su jornada escolar sin tomarlo, sin comer ningún alimento.

Hay que evitar los *snacks*, comida ligera o comida basura, que se ha converti-do en un fenómeno sociológico de primer orden, con graves repercusiones nu-tricionales. Los *snacks* aportan una cantidad importante de grasas saturadas que conviene evitar. Se puede seguir con las comidas de media mañana y merienda, pero consumiendo los alimentos sanos recomendados.

La pirámide guía de grupos de alimentos a esta edad es similar para la pirá-mide ya expuesta de niños de 2 a 6 años, aumentado ligeramente el número de raciones.

- Base de la pirámide: patatas, cereales, harinas, de 9 a 10 raciones diarias.
- Primer piso de la pirámide: hortalizas y vegetales, 2 raciones diarias. Frutas, 3 raciones diarias.
- Segundo piso de la pirámide: lácteos y derivados, 2 a 3 raciones diarias. Carnes, pescados y huevos, 2 a 3 raciones diarias.
- Cúspide de la pirámide: alimentos a evitar, grasas, azúcares simples y acei-tes.

En el niño de 7 a 10 años, el crecimiento sigue siendo lento, pero la actividad física es variable, por lo que las necesidades de nutrientes van a variar entre sólo 1.600 kcal al día en el niño de 7 años con escasa acti-vidad física, hasta las 2.400-2.500 kcal al día en los niños de 10 años con intensa actividad física.

Hay que favorecer la actividad física moderada.

Hay que evitar que el niño consuma *snacks*, comida ligera o «comida basura» entre comidas.

El desayuno escaso o insuficiente es un error alimenticio.

La pirámide alimenticia a esta edad incluye de 9 a 10 raciones diarias de cereales y patatas, 3 raciones diarias de fruta, 2 raciones diarias de hortalizas, 2 a 3 raciones diarias de lácteos y derivados y 2 a 3 raciones diarias de carnes, pescados y huevos.

Hay que evitar grasas, aceites y azúcares simples.

Menús de 2.400 kcal para niños sanos de entre 7 a 10 años

Se han confeccionado menús de 2.400 kcal diarias para que cubran las necesidades de los niños más mayores y con mayor actividad física.

Hay que recordar que los niños de 7 a 8 años con actividad física ligera a moderada tienen suficiente con aproximadamente las 2 terceras partes de las cantidades que se exponen.

Lunes

Desayuno: chocolate a la taza con leche entera. Pan con margarina.
Media mañana: pan con fiambre.
Comida: coliflor y patatas gratinadas con queso y bechamel. Chuletas de cordero con ensalada. Pan. Fruta.
Merienda: leche. Galletas dulces.
Cena: guisantes con jamón. Merluza a la plancha con ensalada. Pan. Fruta en macedonia. Yogur.

Cantidades: lunes

Desayuno:	Leche entera	250 g
	Chocolate	10 g
	Azúcar	5 g
	Pan (preferentemente integral)	50 g
	Margarina vegetal	5 g
Media mañana:	Pan	60 g
	Fiambre	50 g
Comida:	Coliflor	125 g
	Patata cocida	125 g
	Leche de vaca	50 g
	Harina de maíz	10 g
	Queso	10 g
	Cordero	50 g
	Tomate	100 g
	Lechuga	100 g
	Zanahoria	100 g
	Pepino	100 g
	Cebolla	50 g

	Aceite de maíz	10 g
	Pan	50 g
	Fruta	250 g
Merienda:	Leche de vaca	150 g
	Azúcar	5 g
	Galletas dulces	20 g
Cena:	Guisantes	150 g
	Jamón serrano	25 g
	Merluza	100 g
	Aceite de maíz	5 g
	Tomate	100 g
	Lechuga	100 g
	Pepino	50 g
	Aceite de oliva	10 g
	Pan	60 g
	Macedonia de fruta	300 g
	(plátano, naranja, manzana, melocotón en almíbar)	
	Yogur	100 g

Martes

Desayuno: leche entera. Galletas con mantequilla y miel.
Media mañana: pan con margarina y salchichón. Fruta.
Comida: garbanzos estofados. Chuletas de cerdo con ensalada. Pan. Fruta.
Merienda: yogur con trozos de fruta.
Cena: espinacas con patatas. Atún con tomate. Pan. Fruta.

Cantidades: martes

Desayuno:	Leche entera de vaca	250 g
	Azúcar	5 g
	Galletas dulces	20 g
	Margarina vegetal	5 g
	Miel	10 g
Media mañana:	Pan (preferentemente integral)	60 g
	Margarina vegetal	5 g

	Salchichón	30 g
	Fruta	250 g
Comida:	Garbanzos	50 g
	Tomate	125 g
	Aceite de oliva	5 g
	Chuleta de cerdo	60 g
	Patata cocida	100 g
	Lechuga	100 g
	Pimiento	25 g
	Zanahoria	100 g
	Cebolla	50 g
	Pepino	50 g
	Olivas	25 g
	Aceite de oliva	10 g
	Pan	50 g
	Fruta	250 g
Merienda:	Yogur natural	200 g
	Fruta	150 g
	Azúcar	10 g
Cena:	Espinacas	150 g
	Patata cocida	100 g
	Atún	100 g
	Tomate	125 g
	Aceite de oliva	10 g
	Pan	50 g
	Fruta	250 g

Miércoles

Desayuno: leche entera. Pan con mermelada.
Media mañana: pan con margarina y queso de Burgos.
Comida: ensalada con arroz. Pescado blanco a la plancha. Patatas asadas. Pan. Fruta.
Merienda: yogur con trozos de frutas. Galletas.
Cena: pollo con ensalada. Natillas. Pan.

Cantidades: miércoles

Desayuno:	Leche entera de vaca	250 g
	Pan (preferentemente integral)	50 g
	Mermelada	10 g
Media mañana:	Pan (preferentemente integral)	60 g
	Queso de Burgos	25 g
	Margarina vegetal	10 g
Comida:	Arroz blanco	15 g
	Tomate	125 g
	Zanahoria	100 g
	Pepino	100 g
	Cebolla	50 g
	Aceite de maíz	10 g
	Pescado blanco	125 g
	Patata cocida	125 g
	Aceite de maíz	10 g
	Pan	60 g
	Fruta	250 g
Merienda:	Yogur natural	125 g
	Fruta	250 g
	Galletas dulces	20 g
Cena:	Pollo	100 g
	Lechuga	100 g
	Manzana	100 g
	Tomate	100 g
	Maíz cocido	75 g
	Piña	75 g
	Aceite de oliva	5 g
	Pan	50 g
	Natilla o flan	125 g

Jueves

Desayuno: leche entera. Pan con mantequilla y mermelada. Fruta.
Media mañana: pan con margarina. Jamón de York.
Comida: puré de verduras. Ternera con champiñón y tomate frito. Pan. Fruta.
Merienda: pan con margarina. Queso.

Cena: berenjenas con queso al horno. Merluza a la plancha con tomate a rodajas y patatas fritas. Pan. Fruta.

Cantidades: jueves

Desayuno:	Leche entera de vaca	250 g
	Pan (preferentemente integral)	30 g
	Margarina vegetal	10 g
	Azúcar	5 g
	Fruta	200 g
Media mañana:	Pan (preferentemente integral)	60 g
	Margarina vegetal	5 g
	Jamón de York	30 g
Comida:	Patata cocida	100 g
	Zanahoria	100 g
	Guisantes	50 g
	Cebolla	50 g
	Aceite de oliva	10 g
	Ternera	100 g
	Champiñón	100 g
	Tomate	100 g
	Aceite de oliva	10 g
	Pan	60 g
	Fruta	250 g
Merienda:	Pan (preferentemente integral)	50 g
	Margarina vegetal	10 g
	Queso, a elegir	30 g
Cena:	Berenjena	150 g
	Queso	10 g
	Champiñón	125 g
	Aceite de oliva	10 g
	Merluza	125 g
	Patata cocida	100 g
	Tomate	100 g
	Aceite de oliva	10 g
	Pan	50 g
	Fruta	250 g

Viernes

Desayuno: leche entera. Pan con margarina.
Media mañana: pan con margarina y fiambre.
Comida: lentejas con arroz. Higaditos de pollo con sofrito de tomate, champiñón y cebolla. Pan. Fruta.
Merienda: arroz con leche. Fruta.
Cena: acelgas con patatas. Sardinas con ensalada. Pan. Fruta.

Cantidades: viernes

Desayuno:	Leche entera de vaca	250 g
	Pan (preferentemente integral)	50 g
	Margarina vegetal	10 g
	Azúcar	5 g
Media mañana:	Pan (preferentemente integral)	60 g
	Margarina vegetal	10 g
	Fiambre	30 g
Comida:	Lentejas	50 g
	Arroz blanco	30 g
	Hígado de pollo	50 g
	Tomate	100 g
	Cebolla	100 g
	Champiñón	100 g
	Aceite de oliva	15 g
	Pan	40 g
	Fruta	250 g
Merienda:	Leche de vaca	150 g
	Arroz blanco	20 g
	Azúcar	15 g
	Fruta	150 g
Cena:	Acelgas	100 g
	Patata cocida	100 g
	Aceite de oliva	5 g
	Sardina o boquerón	80 g
	Maíz cocido	100 g
	Zanahoria	100 g

Tomate	100 g
Pepino	50 g
Aceite de maíz	5 g
Pan	50 g
Fruta	250 g

Sábado

Desayuno: leche entera. Pan con margarina y miel.
Media mañana: pan con tomate, aceite y jamón.
Comida: pasta con tomate y salchicha. Ternera con ensalada. Pan. Fruta.
Merienda: chocolate a la taza. Pan con margarina.
Cena: berenjena y pimiento asados y trocitos de bacalao. Tortilla de patata con ensalada. Pan. Fruta.

Cantidades: sábado

Desayuno:	Leche entera de vaca	250 g
	Azúcar	10 g
	Pan (preferentemente integral)	60 g
	Margarina vegetal	10 g
	Miel	10 g
Media mañana:	Pan (preferentemente integral)	60 g
	Tomate	50 g
	Aceite de maíz	5 g
	Jamón	30 g
Comida:	Pasta	50 g
	Tomate	100 g
	Salchicha	30 g
	Aceite de oliva	5 g
	Ternera	70 g
	Lechuga	100 g
	Zanahoria	100 g
	Tomate	100 g
	Aceite de maíz	5 g
	Pan	50 g
	Fruta	250 g
Merienda:	Leche de vaca	250 g

	Azúcar	5 g
	Chocolate	15 g
	Pan (preferentemente integral)	50 g
	Margarina vegetal	10 g
Cena:	Berenjena	125 g
	Pimiento	125 g
	Trocitos de bacalao seco	10 g
	Aceite de maíz	5 g
	Huevo entero	50 g
	Patata cocida	100 g
	Aceite de oliva	5 g
	Tomate	100 g
	Zanahoria	100 g
	Pepino	50 g
	Lechuga	100 g
	Aceite de maíz	5 g
	Pan	50 g
	Fruta	250 g

Domingo

Desayuno: leche entera de vaca. Galletas con mantequilla y miel.
Media mañana: pan con margarina. Queso de Burgos.
Comida: paella de pollo y verduras. Ensalada. Pan. Fruta.
Merienda: leche. Tostada con mermelada.
Cena: col con patatas. Pescado con champiñones. Pan. Fruta.

Cantidades: domingo

Desayuno:	Leche entera de vaca	250 g
	Galletas dulces	20 g
	Margarina vegetal	10 g
	Miel	10 g
Media mañana:	Pan (preferentemente integral)	60 g
	Margarina vegetal	5 g
	Queso de Burgos	50 g
Comida:	Arroz	50 g
	Pollo	100 g

	Judías verdes	30 g
	Alcachofa	30 g
	Aceite de oliva	10 g
	Tomate	100 g
	Lechuga	100 g
	Zanahoria	100 g
	Cebolla	50 g
	Pepino	100 g
	Olivas	20 g
	Aceite de maíz	5 g
	Pan	50 g
	Fruta	150 g
Merienda:	Leche de vaca entera	200 g
	Pan (preferentemente integral)	50 g
	Margarina vegetal	5 g
	Azúcar	10 g
	Mermelada	10 g
Cena:	Col	150 g
	Patata cocida	100 g
	Pescado (a elegir)	125 g
	Champiñón	125 g
	Aceite de oliva	10 g
	Pan	50 g
	Fruta	250 g

13

Alimentación del adolescente

La adolescencia es el período de la vida que comienza con la aparición de los caracteres sexuales secundarios y que termina al cesar totalmente el crecimiento somático, que define el paso a la vida adulta. El inicio de la adolescencia, el comienzo de la aparición de los caracteres sexuales secundarios, también se denomina pubertad.

La adolescencia es un período muy especial, una etapa decisiva en el desarrollo humano, con cambios no sólo somáticos, sino psicológicos y sociales.

Desde un punto de vista de crecimiento corporal se pasa de un crecimiento lento y uniforme en los años anteriores a un súbito aumento de ritmo, el «estirón puberal», que crea unos aumentos de las necesidades nutricionales. Es un período, pues, de vulnerabilidad nutricional.

Desde un punto de vista psíquico y social es un tiempo de cambio de la personalidad y de los hábitos sociales que pueden afectar a los hábitos dietéticos y alterar estas necesidades nutritivas aumentadas.

La adolescencia comienza con la aparición de los caracteres sexuales secundarios (que también se llama pubertad) y termina al cesar totalmente el crecimiento.

La adolescencia es una etapa de cambios no sólo somáticos sino también psíquicos y sociales.

Es un período de crecimiento rápido «el estirón puberal», que precisa un aumento de la ingesta de nutrientes.

Es un tiempo crítico porque los cambios de hábitos sociales pueden afectar a los hábitos dietéticos y afectar al crecimiento.

El crecimiento somático del adolescente

La adolescencia es un período largo y el crecimiento dura entre 5 y 7 años, pero la mayor parte del mismo se realiza durante este «estirón puberal» que dura aproximadamente 2 años. En este tiempo de máximo crecimiento se aumenta una media de 5 kg por año.

La adolescencia es un proceso no sólo de crecimiento y de maduración sexual, sino de maduración corporal total, incluso de cambio en la proporción de los tejidos. La composición corporal por tejidos en niños y niñas prepuberales es casi idéntica, pero durante la adolescencia aumenta mucho la masa músculo-esquelética y las niñas adquieren más grasa. Al acabar la pubertad las niñas tienen alrededor del 25% de su peso corporal en grasa, mientras que los niños solamente el 16%.

Las niñas comienzan la adolescencia y el estirón puberal unos 2 años antes que los niños. Ellas suelen comenzar entre los 10 y los 11 años y los chicos entre los 12 y los 13 años.

Al ser los dos primeros años de pubertad los de crecimiento más rápido, las máximas necesidades de ingesta de nutrientes en las chicas serán entre los 10 y los 13 años, mientras que en los niños las máximas necesidades nutritivas y, por tanto, la mayor atención en la alimentación, serán entre los 12 y los 15 años.

Es importante conocer que durante la adolescencia las necesidades de energía y de nutrientes no se relacionan con la edad cronológica sino con el momento de crecimiento de cada niño, según cuando haya comenzado la pubertad. Hay que vigilar más la alimentación y aumentar la ingesta de nutrientes, justo en estos años de crecimiento rápido, para no comprometerlo y reducirlo.

En síntesis, la adolescencia es un período muy crítico desde el punto de vista nutricional y los padres tienen una gran responsabilidad para que sea correcta.

> Aunque la adolescencia es un largo período de 5 a 7 años, el máximo crecimiento se produce en los 2 primeros años.
>
> En la adolescencia hay una maduración y un cambio en la proporción de los tejidos. Las chicas adquieren mayor proporción de grasa.

Las chicas comienzan la adolescencia unos 2 años antes que los niños, entre los 10 y los 11 años. Las máximas necesidades nutritivas en las niñas son entre los 10 y los 13 años y en los chicos entre los 12 y los 15 años.

La adolescencia es un tiempo muy crítico desde el punto de vista nutricional.

Los cambios psicosociales del adolescente

La adolescencia constituye una etapa de maduración corporal, sexual y psicosocial. En un primer período, adolescencia temprana, el adolescente todavía tiene dependencia y confianza en los padres y se preocupa por su cuerpo y por su imagen corporal.

En la adolescencia media, al tiempo que experimenta un desarrollo cognitivo importante, el adolescente está muy influenciado por sus compañeros y amistades, comenzando a independizarse de sus padres. Su impulso hacia la independencia puede ocasionar el rechazo temporal de los patrones alimenticios de la familia.

En la adolescencia tardía, ya es cada vez más independiente y ha establecido una imagen corporal. El adolescente se interesa por su salud a largo plazo y es una buena etapa para proporcionarle información nutricional. Al mismo tiempo, en esta etapa «independiente» existe riesgo de conductas negativas, desinhibidas, con posibilidad de absentismo escolar y consumo de alcohol y drogas. Puede sentir insatisfacción por su imagen y adquirir prácticas nutricionales de riesgo.

En la maduración psicosocial del adolescente se pasa de una dependencia de los padres a una independencia con influencia de compañeros.

Existe el peligro de rechazo de los patrones alimenticios familiares y de que el adolescente adquiera prácticas nutricionales de arriesgadas.

Los hábitos alimentarios del adolescente

Los adolescentes se describen a sí mismos como demasiado ocupados para preocuparse de comer correctamente, y sus hábitos pueden ser caóticos. Los ritmos habituales pueden volverse irregulares y omitirse comidas esenciales como el desayuno o la comida del mediodía. En cambio, pueden consumir refrigerios o *snacks* fuera de horas y fuera de casa.

Existe el peligro de que el adolescente asocie situaciones y sentimientos positivos con los alimentos incorrectos –o «alimentos basura»–, mientras que asocia sentimientos negativos con los alimentos sanos.

Se define el «alimento basura» como el que proporciona la mayoría de calorías en forma de grasa saturada y de azúcares simples; pero son muy pobres en proteínas, en hierro, en calcio y vitaminas, que son los nutrientes esenciales para el crecimiento durante la etapa puberal. Los «alimentos basura» o *snacks* se obtienen en máquinas automáticas o en tiendas de comida rápida y se anuncian en los medios de comunicación. Los anuncios televisivos o en las revistas pueden tener mayor influencia en el adolescente que las recomendaciones de padres o médicos.

El consumo de refrigerios y «alimentos basura» se hace en compañía de amigos, fuera de casa y sin «control», por lo que puede asociarse a un sentimiento de disfrute y de placer. El consumo de alimentos sanos se hace en casa, estando con los padres y en familia, en definitiva, con control, por lo que existe el peligro de asociarse con sentimientos negativos y, por tanto, de rechazo.

Para combatir estos peligros y continuar con la alimentación sana hay que adaptarla al tiempo apresurado del adolescente. Hay que seleccionar los alimentos sanos más apetecibles y ofrecerlos para combatir el atractivo de los *snacks*.

Nunca hay que omitir las comidas fundamentales, como el desayuno y la comida del mediodía.

Los hábitos alimentarios del adolescente pueden volverse irregulares y omitir comidas fundamentales.

Existe el peligro de que el adolescente asocie situaciones y sentimientos positivos con los «alimentos basura», que son alimentos con alto contenido en grasas saturadas y azúcares simples.

Hay que seguir ofreciendo alimentos sanos, con los nutrientes que precisa en esta etapa de crecimiento rápido, adaptándolos al tiempo apresurado del adolescente.

Necesidades nutricionales del adolescente

Durante la adolescencia aumentan los requerimientos de nutrientes, pero sobre todo, de los que contribuyen al crecimiento: proteínas, minerales y oligoelementos.

Los requerimientos de energía dependen mucho de la actividad física. Entre los 11 y los 13 años se precisan para los varones alrededor de 64 kcal por kg de peso y día, es decir, alrededor de 2.500 kcal al día; y para las mujeres 58 kcal por kg de peso y día, alrededor de 2.300 kcal diarias.

Entre los 14 y los 18 años, las necesidades de energía aumentan mucho en los varones, con mayor actividad física y con pubertad más tardía, alrededor de 3.000 kcal al día.

Las mujeres de entre 14 y 18 años, ya han acabado el período de crecimiento rápido y tienen suficiente con una ingesta de entre 2.200 y 2.300 kcal al día.

Las necesidades de proteínas son de 45 g diarios en las mujeres y de entre 45 y 65 g diarios en los varones.

Los micronutrientes que requieren más aumento en la ingesta durante la adolescencia son el calcio, el hierro y las vitaminas.

Las necesidades de calcio son altas, ya que aumenta mucho la masa ósea, alrededor de 1.300 mg diarios. Un litro de leche entera de vaca contiene 1.200 mg de calcio, por lo que se precisará una ingesta mínima de un litro de leche, o bien, de sus derivados (yogur, queso).

Las necesidades de hierro ascienden en ambos sexos por el aumento de la masa corporal y del volumen de sangre, pero más en las mujeres por la pérdida de sangre en la menstruación. En los varones se precisa una ingesta mínima de 12 mg diarios y en las mujeres 18 mg diarios. Como las carnes son los alimentos más ricos en hierro deben estar presentes diariamente en la dieta del adolescente.

Hay que aumentar el consumo diario de frutas, verduras y vegetales en general, que son fuente de vitaminas y oligoelementos.

La dieta equilibrada debe tener un 55% de las calorías procedentes de los hidratos de carbono, el 30% procedentes de la grasa y el 15% procedentes de las proteínas.

La pirámide alimenticia de los adolescentes es muy similar a la del adulto. En la base están los cereales, pan, arroz y pastas. Se debe consumir al menos una ración en cada comida, el equivalente a 10 porciones diarias de manera ideal.

En el primer piso de la pirámide están las frutas, de las que se comerán por lo menos 3 porciones al día, es decir 3 piezas (naranja, manzana, pera, melocotón). También están los vegetales, de los que se consumirán un mínimo de 3 porciones diarias, y si es posible, hasta 5 porciones.

En el segundo estrato de la pirámide están los lácteos, de los que se deben consumir 4 porciones diarias, el equivalente a un litro diario de leche entera de vaca. En este segundo piso también está el grupo de las proteínas (carnes, pescados, legumbres, huevos), del que se deben consumir 2 o 3 porciones diarias, es decir, alrededor de 150 g diarios, con un plato de carne como mínimo, y alternando el resto de alimentos.

Durante la adolescencia aumentan los requerimientos de nutrientes, pero sobre todo de proteínas, minerales y oligoelementos.

Los requerimientos de energía para los varones son de 2.500 kcal diarias entre los 11 y los 13 años y 3.000 kcal diarias entre los 14 y los 18 años.

Los requerimientos de energía para las mujeres son de 2.300 kcal al día.

Las necesidades de ingesta de proteínas están entre 45 y 65 g diarios.

Las necesidades de calcio son muy altas, de 1.300 mg al día. Hay que ingerir todos los días un mínimo de un litro de leche entera de vaca o sus equivalentes lácteos.

Las necesidades de hierro son más altas en las mujeres, 18 mg diarios, por lo que es necesario ingerir un mínimo de un plato de carne cada día.

Hay que aumentar el consumo de frutas y verduras que proporcionan vitaminas y oligoelementos.

En la cúspide de la pirámide alimentaria están los alimentos que deben evitarse o consumirse el mínimo posible: dulces, helados, grasas saturadas y algunos aceites (palma, coco). Están en los productos de bollería industrial, en las patatas fritas, en los pasteles, en los helados y en las comidas rápidas con carne muy grasa (hamburguesas, salchichas).

En las encuestas alimentarias que se hacen a los adolescentes de países desarrollados cuantificando los nutrientes que ingieren, hay una tendencia a ingerir excesivas grasas saturadas y azúcares simples, mientras que son escasas las ingestas de frutas y de verduras.

En las encuestas también destaca que existe un elevado porcentaje de adolescentes que consumen un desayuno insuficiente.

La importancia del desayuno

Diversos estudios han demostrado la importancia del desayuno para la alimentación del adolescente. Si el desayuno es insuficiente hay menor rendimiento físico e intelectual, además de hacer difícil el conseguir las ingestas adecuadas de nutrientes.

Se considera un desayuno nutricionalmente correcto el que aporta alrededor del 25% de las necesidades diarias de energía y de nutrientes, y que incluya alimentos variados. El correcto es el que tiene leche entera de vaca, cereales (copos de trigo, pan, tostadas o galletas dulces), mermelada o margarina y fruta.

En ocasiones, el problema del desayuno insuficiente del adolescente es la falta de tiempo, o la prisa derivada de la dificultad de levantarse con el tiempo necesario. Es indispensable inculcar el hábito de despertarse y levantarse con tiempo suficiente para sentarse a tomar el desayuno.

> Además de su importancia para el crecimiento, el desayuno ayuda a un mejor rendimiento físico y escolar.
>
> El desayuno debe incluir leche, cereales y fruta en cantidad adecuada, el 25% de la ingesta diaria de energía.

Errores en la alimentación del adolescente

Los errores más frecuentes en la alimentación del adolescente son:

1. Dieta desequilibrada

Las dietas desequilibradas más frecuentes son las que presentan cantidades insuficientes de nutrientes esenciales y excesivas de grasas y azúcares simples. Es importante recordar que:

- Hay que favorecer y estimular el consumo de frutas, legumbres y verduras.
- Hay que evitar ingerir más del 30% de las calorías diarias en forma de grasa, con no más del 10% en forma de grasa saturada.
- Hay que desaconsejar el consumo de pasteles, helados, bollería industrial, hamburguesas, bebidas azucaradas y patatas fritas.
- Hay que ingerir diariamente, por lo menos, un plato de carne magra (sin grasa) y un litro de leche entera de vaca, o su equivalente en derivados lácteos.

2. Desayuno insuficiente

El desayuno debe ser abundante, e incluir al menos leche, cereales y fruta.

3. Desaprovechar el período de crecimiento rápido

Los dos o tres primeros años desde el comienzo de la adolescencia son los de crecimiento más rápido, y hay que vigilar que la ingesta de nutrientes sea la adecuada.

Si en este período crítico o vulnerable la alimentación no es la adecuada puede desaprovecharse el potencial de crecimiento del niño.

4. Snacks entre comidas

La ingesta de bebidas azucaradas, snacks de bolsitas, incluso zumos de frutas entre comidas, además de ser una fuente de «calorías vacías», sin alimentos adecuados, puede disminuir el apetito a la hora de la comida principal, con lo que se pueden dejar de ingerir nutrientes más importantes.

Los errores alimentarios más frecuentes en el adolescente son:

• Dieta desequilibrada, con exceso de grasas y de azucares simples y escasa ingesta de frutas y de verduras.
• Desayuno insuficiente.
• *Snacks* entre comidas.
• Desaprovechar el período de crecimiento rápido.

Cuarta parte: Alimentación en situaciones especiales

14

Alimentación durante el embarazo y la lactancia

La madre debe aportar todos los nutrientes a un feto que está en continuo crecimiento desde el mismo momento de la concepción.

Es fácil de entender que durante el embarazo están aumentadas las necesidades nutritivas. El estado nutritivo de la embarazada afecta al resultado del embarazo, sobre todo en el peso al nacimiento, un factor íntimamente relacionado con las enfermedades y problemas que pueda sufrir el recién nacido.

En los últimos años se ha pasado de tener una atención preferente a la última etapa de la gestación, a dar cada vez más importancia a los períodos iniciales de la misma, en los que si no hay una nutrición adecuada el feto sufre efectos adversos. En este período tan crítico, una alteración metabólica por una nutrición deficiente puede tener consecuencias a largo plazo.

En síntesis, el crecimiento fetal puede alterarse por una deficiente nutrición materna, con consecuencias en toda la vida posterior.

Aumento de peso materno durante el embarazo

Menos de la mitad del aumento total del peso durante el embarazo se debe al peso del feto, la placenta y el líquido amniótico. El resto se encuentra distribuido en los tejidos de la madre.

La embarazada que tenía un peso normal debe aumentar entre 12 y 16 kg durante el embarazo, de los que debe aumentar 1.800 g en el primer trimestre del embarazo y después 440 g semanales, aproximadamente, durante el segundo y tercer trimestre del embarazo.

La embarazada que presentaba un peso por debajo de lo normal antes del embarazo conviene que aumente un poco más, de 14 a 18 kg durante el mismo, sobre todo en el primer trimestre, en que conviene un aumento de 2.300

g. Durante el segundo y tercer trimestre de embarazo conviene un aumento semanal de 500 g. Cuando peor sea el estado nutricional de la mujer gestante, tanto más importante será la complementación nutricional durante todo el embarazo.

> El crecimiento fetal puede alterarse por una deficiente nutrición materna, con consecuencias en toda la vida posterior.
>
> Los períodos iniciales de la gestación son los más críticos desde el punto de vista nutritivo.
>
> La embarazada con peso normal debe aumentar entre 12 y 16 kg durante el embarazo y 1,8 kg durante el primer trimestre.
>
> La embarazada con peso por debajo de lo normal antes del embarazo debe aumentar de 14 a 18 kg durante el mismo, y 2,3 kg en el primer trimestre.
>
> Cuando peor sea el estado nutricional de la mujer gestante, tanto más importante será la complementación nutricional durante el embarazo.

Complementación nutricional durante el embarazo

Desde el inicio del mismo se debe incrementar la ingesta de nutrientes, con especial atención a algunos de ellos.

Las necesidades de energía aumentan en aproximadamente 300 kcal diarias. Si las necesidades medias de la mujer no embarazada eran de 2.200 kcal diarias, ahora se deberá ingerir 2.500 kcal cada día.

Las necesidades de proteínas aumentan en 15 g al día, por lo que si la ingesta antes del embarazo era de 45 g, ahora deberán ser 60 g diarios.

Todas las vitaminas y minerales tienen aumentos en sus necesidades, pero básicamente dos elementos, el ácido fólico y el hierro.

El ácido fólico y los folatos necesitan un suplemento especial porque su deficiencia está relacionada con la presencia de defectos en el tubo neural del feto, sobre todo la espina bífida. Las fuentes de ácido fólico son las verduras de hoja verde, las leguminosas, la naranja y los frutos secos. Pero la prevención de los defectos del tubo neural es tan importante que para no depender de la ingesta de estos productos conviene la complementación farmacológica, es decir, consumir diariamente entre 800 y 1.000 microgramos (entre 0,8 y 1 miligramos) de un preparado de ácido fólico.

El tubo neural se cierra muy precozmente, durante el primer mes de embarazo, es decir, antes de que la mayoría de mujeres se hayan dado cuenta de su embarazo. Para que sea eficaz el ácido fólico en la prevención de los defectos del tubo neural (espina bífida), la complementación debe empezar antes de la concepción, o sea, deben tomarla todas las mujeres con posibilidad de quedarse embarazadas. Es necesario iniciar la ingesta diaria de 0,8 a 1 mg diario de ácido fólico en el momento en que se planifica el embarazo o se abandonan los métodos anticonceptivos. Una vez confirmado el embarazo, se debe continuar con la ingesta diaria de ácido fólico hasta pasados 3 meses, es decir, como mínimo hasta 14 semanas desde la fecha de la última regla.

Durante la gestación aumentan las necesidades de energía en 300 kcal diarias, precisándose ingerir un total de 2.500 kcal al día.

Las necesidades de proteínas aumentan en 15 g diarios precisándose una ingesta diaria de 60 g.

Están aumentadas las necesidades de todas las vitaminas, minerales y oligoelementos.

El ácido fólico necesita un suplemento especial, de 0,8 a 1 mg diario desde el mismo momento de la concepción. Para que sea eficaz en la prevención de los defectos del tubo neural debe empezarse a tomar desde el momento en que hay posibilidad de embarazo y mantenerlo hasta después del tercer mes de gestación.

Se precisan ingerir 30 mg diarios de hierro durante todo el embarazo.

El hierro es necesario para formar los glóbulos rojos o hematíes de la sangre. Para atender a la formación de los hematíes del feto, al aumento de los de la madre y a los depósitos, es necesario doblar la ingesta diaria de hierro, sobre todo en el segundo y tercer trimestres del embarazo, pasando de unas necesidades de 15 mg diarios en la mujer no embarazada, a necesitar ingerir 30 mg diarios durante todo el embarazo. Para conseguirlo hay que aumentar los alimentos ricos en hierro: carnes rojas, hígado, lentejas, garbanzos, judías, y para mayor seguridad, añadir un preparado farmacológico de hierro, a la dosis de 30 mg diarios a partir del tercer mes de gestación hasta su finalización. No son convenientes complementos mayores de 30 mg diarios, excepto si la gestante sufre ya previamente de anemia.

Guía para la alimentación durante el embarazo y la lactancia

Durante el embarazo queda modificada la guía pirámide de alimentos del adolescente y de la mujer no embarazada de la siguiente manera:

Base de la pirámide: Es el grupo de cereales y derivados (pan, arroz, pasta). En la mujer no embarazada se precisan 7 raciones, que pasan a 8 en la mujer embarazada y a 10 porciones diarias en la mujer que está lactando, que está dando el pecho al niño.

Primer piso de la pirámide: El grupo de las frutas no se modifica. Se recomiendan 3 porciones diarias, es decir, 3 piezas de fruta diarias (pera, naranja, manzana, plátano) igual para la mujer no embarazada que para la gestante y la madre lactante. El grupo de las verduras aumenta de las 3 raciones recomendadas para la mujer no embarazada a 4 porciones diarias en la embarazada y la madre lactante.

Segundo nivel de la pirámide: En el grupo de leche y derivados se pasa de las 2 raciones (500 g) recomendadas para mujeres no gestantes a 3 raciones (750 g) que precisan ingerir las mujeres embarazadas o madres lactantes. Los 750 g diarios de leche entera de vaca proporcionan 900 mg de calcio, 480 kcal y 23 g de proteínas.

El grupo de las proteínas también se modifica, pasando de necesitar-se una ingesta diaria de 150 g de carne o de la suma de carne y pescado, a 180 g diarios en la mujer embarazada y 210 g diarios en la madre lactante.

Cúspide de la pirámide: Hay que continuar evitando la ingesta de dulces, pasteles y grasas animales. Se recomienda aumentar el consumo de aceite vegetal de oliva, maíz o soja, por ejemplo, que esté presente como condimento 3 veces al día.

Precauciones especiales: Se recomienda no abusar de la cafeína, como máximos dos cafés diarios. Se puede consumir, sin problema, descafeinado.

El alcohol está totalmente prohibido durante el embarazo. Incluso en pequeñas cantidades es perjudicial para el feto. Consumido en cantidades importantes puede causar al feto el llamado síndrome alcohólico fetal, niños con un aspecto del rostro especial y que pueden tener deficiencia mental.

También hay que evitar el tabaco, que aunque es menos nocivo que el alcohol para el feto resulta muy perjudicial para los pulmones de los recién nacidos y lactantes. Los niños «fumadores pasivos» de humo del tabaco tienen más infecciones respiratorias y pueden sufrir daños irreversibles.

Las drogas son muy tóxicas para el feto.

Menú de la mujer embarazada

- Desayuno: un vaso de zumo de naranja. Un tazón de leche entera de vaca. Una tostada con margarina, o bien, 2 o 3 galletas dulces, o bien, copos de cereales en la leche. Un café o té descafeinado.
- Toma de media mañana: medio bocadillo de queso, o bien, 1 yogur y una pieza de fruta, o bien, un tazón de leche con cereales.
- Almuerzo: un plato de ensalada. Segundo plato de carne con verduras. Pan. Una pieza de fruta.
- Media tarde: leche descremada con galletas, o bien, yogur con una pieza de fruta.
- Cena: un plato de ensalada, o bien, de legumbres (lentejas, guisantes). Segundo plato de carne o de pescado. Dos o tres veces a la semana se sustituye este segundo plato por huevos o tortilla. Pan. Fruta.

Durante el embarazo hay que aumentar el consumo de cereales, de proteínas (carnes, pescados) y de verduras. Se continuará tomando 3 piezas de fruta al día. Hay que ingerir 750 g (tres cuartos de litro) de leche entera de vaca o su equivalente en derivados lácteos (yogur, queso). Hay que tomar diariamente algo de aceite vegetal y evitar los pasteles y grasas animales.

El alcohol está totalmente prohibido durante el embarazo: puede causar graves daños al feto. El tabaco es pernicioso para el feto, pero todavía más para el recién nacido y lactante si son «fumadores pasivos».

El café se debe tomar con moderación, no más de 2 tazas al día.

Las drogas son muy tóxicas para el feto.

Dieta en algunas complicaciones frecuentes en el embarazo

En los primeros meses de embarazo es habitual la hiperemesis gravídica, que consiste en náuseas y vómitos. Para disminuir y combatir los efectos de esta «náusea gestacional» se recomiendan evitar las comidas copiosas y abundantes y cambiarlas por comidas frecuentes y con pequeñas cantidades, sin líquidos y con poca grasa, que tengan sobre todo hidratos de carbono (pan, tostadas, galletas, pasta, arroz). Los líquidos se toman entre comidas. Así se evita «llenar» demasiado el estómago y que la náusea desemboque en vómito. Hay que vigilar que la ingesta total de nutrientes al final del día sea la correcta.

Otra complicación que afecta a algunas embarazadas es la diabetes gestacional. Habitualmente el obstetra la diagnostica mediante la prueba de sobrecarga oral de glucosa. Puede precisar cambios en la dieta y deben seguirse en todo momento las indicaciones del médico especialista.

> Para disminuir las náuseas y vómitos del primer período de la gestación se recomiendan comidas frecuentes y en pequeñas cantidades, con hidratos de carbono (pan, pasta, cereales, arroz) evitando el agua, que se toma entre las comidas.

El embarazo en la adolescente

El embarazo de la mujer todavía adolescente es una gestación de alto riesgo para la madre y para el niño y uno de los problemas principales de salud pública en los países desarrollados.

Hay que incrementar las medidas educacionales para evitar el embarazo durante la adolescencia.

Desde un punto de vista nutritivo, la adolescente embarazada precisa un aumento en la ingesta de nutrientes todavía mayor que la mujer adulta, ya que la adolescente tiene que cubrir sus propias necesidades de crecimiento, además de las del feto. Es aconsejable un aumento de peso durante el embarazo de entre 13 y 18 kg, con una ingesta diaria de 2.600 kcal o mayor.

La guía alimentaria y los menús son iguales que los expuestos en los apartados anteriores. Es necesario un control del embarazo más frecuente que en la mujer adulta.

> Deben incrementarse las medidas educacionales para evitar el embarazo de la adolescente.
>
> Es un embarazo de alto riesgo para la madre y para el niño. Se necesita un aumento diario en la ingesta de nutrientes, ya que se deben cubrir las necesidades de crecimiento de la madre y del feto.

Alimentación durante la lactancia

Recordemos las ventajas de la lactancia materna:

- La leche materna es la mejor opción nutritiva para el recién nacido y el lactante.
- La leche materna es siempre fresca y no contaminada.
- La leche materna tiene factores antiinfecciosos y células inmunitarias que protegen al niño frente a algunas infecciones.
- La leche materna es menos alergénica que cualquier otro alimento.
- Con la lactancia materna, el lactante tiene menos posibilidades de sobrealimentación y de obesidad.
- El amamantamiento favorece la interacción psíquica madre-hijo.
- El amamantamiento es más cómodo y más fácil que la lactancia artificial.

Es evidente que amamantar precisa de un suplemento de nutrientes para la madre. Cada 100 ml de leche materna proporciona al lactante 67 kcal, pero para su producción la madre precisa ingerir 85 kcal. Con una producción media diaria de 750 ml de leche, la madre gasta 650 kcal para producirla, procediendo 150 kcal de sus reservas acumuladas durante el embarazo y precisando ingerir diariamente las 500 kcal restantes.

La madre lactante precisará ingerir aproximadamente 2.700 kcal diarias (las 2.200 kcal ordinarias más 500 kcal extraordinarias para la lactación). También precisa ingerir de 2 a 3 litros diarios de líquidos. Una nutrición deficiente en la madre puede provocar una disminución en el volumen de la leche producida, o un menor contenido en nutrientes.

También hay un aumento de las necesidades de proteínas, vitaminas y minerales, pero ya no se precisan suplementos de ácido fólico ni de hierro.

En los apartados anteriores ya se ha expuesto la guía alimentaria para la madre lactante.

La leche materna es el mejor alimento para el recién nacido y el lactante.

Amamantar requiere un suplemento en la ingesta de nutrientes de la madre.

Se precisan ingerir diariamente alrededor de 500 kcal más de las 2.200 kcal ordinarias.

Hay que aumentar la ingesta de agua, proteínas, vitaminas y minerales.

15

Alimentación del niño diabético

La diabetes mellitus en el niño se debe siempre a la falta de insulina, una hormona fabricada por el páncreas que regula el metabolismo directo de la glucosa. Indirectamente también resulta afectado el metabolismo de las grasas y de las proteínas.

La diabetes mellitus en el niño debe estar siempre controlada por un equipo de especialistas dirigido por un pediatra especializado en endocrinología infantil. La educación diabetológica es una parte importante del tratamiento y debe empezar tan pronto se diagnostica la enfermedad.

Los tres aspectos fundamentales en el tratamiento de la diabetes mellitus en el niño son la administración de insulina, la nutrición adecuada y el ejercicio físico moderado dentro de una vida normal. Es esencial la interpretación de los resultados de las glucemias capilares para prevenir, tanto la hipoglucemia (glucemias bajas) como la hiperglucemia (glucemia demasiado alta).

Aquí nos limitaremos a describir los aspectos nutritivos y dietéticos.

La diabetes mellitus en el niño se debe siempre a la falta de insulina.

La diabetes mellitus en el niño debe estar siempre controlada por un pediatra especialista en endocrinología.

La educación diabetológica debe prevenir tanto la glucemia demasiado baja (hipoglucemia) como la glucemia demasiado alta (hiperglucemia).

Necesidades nutricionales del niño diabético

El objetivo de la nutrición del niño diabético es disminuir los efectos nocivos de la enfermedad manteniendo un estado metabólico normal. A corto plazo hay que prevenir la «descompensación diabética» y a largo plazo hay que considerar las complicaciones crónicas.

La dieta tiene que ser variada, equilibrada, flexible y aceptable por el niño, pero con unas recomendaciones esenciales.

1. Alimentos que no deben ingerirse (prohibidos)

Deben prohibirse los alimentos muy ricos en azúcares simples: bebidas azucaradas, zumos de frutas envasados, mermelada, pasteles, tartas, leche condensada, miel y flan. También deben eliminarse las frutas con alto contenido en azúcares: uvas, dátiles, higos secos, plátanos muy maduros y zumos de frutas muy azucarados.

La excepción es una situación de glucemia muy baja (hipoglucemia) que necesita la ingestión rápida de azúcar para elevarla antes de que cause daño.

También deben prohibirse los alimentos con grasas animales, grasas saturadas: tocino, embutidos, grasa de la carne, nata y helados. Evitar los alimentos fritos.

2. Alimentos permitidos libremente

Todas las verduras: acelgas, alcachofas, lechuga, tomate, calabacín, etc.

También las carnes magras (sin grasa) y los pescados blancos, a la plancha o cocidos.

También los quesos no grasos: requesón, tipo Burgos.

3. Alimentos permitidos en porciones o raciones

Son el resto de alimentos: pan, patatas, cereales, legumbres, fruta, leche y productos lácteos.

4. Hay que consumir 6 comidas diarias

Para que los niveles de glucosa en sangre (glucemia) sean lo más estables posibles, sin grandes altibajos, se añade una comida más al día, el resopón, con un reparto aproximado de la ingesta calórica de:

- El 25% del total diario entre el desayuno y la toma de media mañana.
- Entre el 25 y el 30% del total diario con la comida del mediodía.
- Entre el 5 y el 10% del total diario en la merienda.
- El 25% con la cena.
- Entre el 5 y el 10% restante en el resopón o toma de la noche antes de acostarse.

5. Distribución de nutrientes

Los requerimientos de calorías del niño diabético son iguales a los del niño sano de la misma edad, el mismo peso y similar actividad física, es decir, los adecuados para mantener un crecimiento normal.

La distribución de los macronutrientes debe ser la siguiente:

- Hidratos de carbono: el 55% del total de las calorías ingeridas, sobre todo en forma de alimentos ricos en fibra e hidratos de carbono complejos (almidones): cereales, legumbres, frutas, verduras. Hay que evitar los alimentos con azúcares simples: sacarosa, fructosa.

- Proteínas: el 15% del total de calorías.

- Grasas: el 30% del total de calorías. Hay que evitar las grasas saturadas: carnes grasas como el cerdo, tocinos, aceites de palma y coco. Los productos lácteos pueden ser descremados, en parte. No convienen más de dos huevos semanales. El aporte de colesterol debe ser de 10 mg por cada 100 kcal, con una ingesta diaria menor de 250-300 mg. Pueden ingerirse aceites vegetales como los de oliva, maíz, girasol y soja.

6. Consultar con el pediatra siempre que existan dudas o problemas

La diabetes mellitus en el niño es una enfermedad que puede descompensarse fácilmente. Requiere controles periódicos programados, pero además cualquier problema imprevisto o duda debe ser motivo de consulta al pediatra lo más pronto posible.

La alimentación del niño y del adolescente diabético ha de ser factible, es decir, no adaptarse el niño a la dieta sino la dieta a las actividades del niño, que deben ser las de los otros chicos de su edad.

Los alimentos serán naturales, los mismos que deben consumir la familia y los otros niños, para que el niño diabético esté integrado y no se sienta diferente.

La nutrición del niño diabético debe disminuir los efectos nocivos de la enfermedad manteniendo un estado metabólico normal. La alimentación adecuada y el tratamiento insulínico correcto deben prevenir las complicaciones a largo plazo.

Deben prohibirse los alimentos ricos en azúcares simples, excepto en situación de glucemia muy baja (hipoglucemia). Deben prohibirse las grasas animales.

Están permitidos libremente las verduras, las carnes magras (sin grasa), el pescado y el queso no graso.

Está permitido, pero controlado en raciones, el resto de alimentos (cereales, legumbres, frutas).

Hay que repartir la ingesta diaria en más veces, tomando 6 comidas, añadiendo el resopón, para que los niveles de glucosa en sangre no sufran grandes variaciones.

Los requerimientos de calorías son los mismos que los de los niños de la misma edad, con la misma distribución de nutrientes. Hay que evitar las grasas saturadas.

Para evitar que la enfermedad se descompense deben aplicarse controles médicos frecuentes. Cualquier problema que surja debe ser motivo de consulta lo más pronto posible.

La adolescencia es una época difícil para el diabético, ya que existe la posibilidad de una alimentación más caótica, con descompensación de la enfermedad.

La adolescencia es una época difícil para el diabético, ya que existe la posibilidad de una alimentación más caótica o transgresiones alimenticias, y se puede producir descompensación en la regulación de la glucemia. A los adolescentes se les debe advertir que no consuman bebidas azucaradas ni alcohólicas.

Menús de 1.500 kcal diarias para niños diabéticos

Son los adecuados para niños de alrededor de 4 a 5 años de edad.

Lunes

Desayuno: leche semidescremada. Fruta.
Media mañana: pan. Queso. Zumo.
Comida: menestra de verduras. Ternera con ensalada. Pan. Fruta.
Merienda: yogur. Fruta.
Cena: hervido de patata y verdura. Tortilla de champiñón. Ensalada. Pan. Fruta.
Resopón: yogur. Fruta.

Cantidades: lunes

Desayuno:	Leche semidescremada de vaca	200 g
	Manzana	100 g
Media mañana:	Pan (preferentemente integral)	35 g
	Queso de Burgos	25 g
	Zumo de naranja	100 g
Comida:	Judías verdes	50 g
	Cebolla	50 g
	Patata cocida	100 g
	Alcachofa	50 g
	Aceite de oliva	5 g
	Ternera	60 g
	Lechuga	100 g
	Tomate	100 g
	Aceite de maíz	5 g
	Pan	15 g
	Naranja	200 g
Merienda:	Yogur natural	150 g
	Fresas	125 g
Cena:	Acelgas	75 g
	Cebolla	25 g
	Patata cocida	75 g

	Aceite de oliva	5 g
	Huevo entero	50 g
	Champiñón	25 g
	Lechuga	100 g
	Tomate	100 g
	Aceite de maíz	5 g
	Pan	15 g
	Fruta	200 g
Resopón:	Yogur natural	125 g
	Fruta	100 g

Martes

Desayuno: leche semidescremada. Fruta.
Media mañana: pan. Queso.
Comida: lentejas estofadas. Jamón serrano con ensalada. Pan. Fruta.
Merienda: leche semidescremada. Pan con margarina. Fruta.
Cena: sopa de fideos. Pollo asado con ensalada. Pan. Fruta.
Resopón: yogur.

Cantidades: martes

Desayuno:	Leche semidescremada	200 g
	Fruta	100 mg
Media mañana:	Pan (mejor integral)	50 g
	Queso manchego	20 g
Comida:	Lentejas	20 g
	Patata cocida	40 g
	Cebolla	25 g
	Aceite de oliva	5 g
	Jamón serrano	30 g
	Tomate	100 g
	Pan	40 g
	Fruta	150 g
Merienda:	Leche semidescremada	200 g
	Pan integral	25 g
	Margarina vegetal	5 g

	Fruta	50 g
Cena:	Fideos	20 g
	Pollo	50 g
	Lechuga	75 g
	Tomate	100 g
	Aceite de maíz	5 g
	Pan	40 g
	Fruta	150 g
Resopón:	Yogur	125 g

Miércoles

Desayuno: leche semidescremada. Fruta.
Media mañana: pan. Jamón de York. Zumo.
Comida: ensaladilla. Chuletita de cordero con ensalada. Pan. Fruta.
Merienda: leche entera. Fruta.
Cena: sopa de fideos. Emperador a la plancha con ensalada. Pan. Fruta.
Resopón: leche entera.

Cantidades: miércoles

Desayuno:	Leche semidescremada de vaca	200 g
	Fruta	100 g
Media mañana:	Pan (mejor integral)	40 g
	Jamón de York	25 g
	Zumo de naranja	50 g
Comida:	Judías verdes	25 g
	Patata cocida	50 g
	Guisantes	25 g
	Zanahoria	30 g
	Olivas	10 g
	Huevo entero	15 g
	Aceite de oliva	5 g
	Cordero	60 g
	Lechuga	75 g
	Aceite de maíz	5 g

	Pan	40 g
	Fruta	150 g
Merienda:	Leche entera de vaca	200 g
	Fruta	150 g
Cena:	Fideos	25 g
	Emperador	60 g
	Tomate	50 g
	Aceite de oliva	5 g
	Pan	35 g
	Fruta	150 g
Resopón:	Leche entera de vaca	125 g

Jueves

Desayuno: leche semidescremada. Fruta.
Media mañana: pan. Queso.
Comida: espaguetis. Atún con ensalada. Pan. Fruta.
Merienda: yogur. Fruta.
Cena: hervido. Pollo a la plancha con ensalada. Pan. Fruta.
Resopón: leche. Galletas dulces.

Cantidades: jueves

Desayuno:	Leche semidescremada de vaca	200 g
	Fruta	100 g
Media mañana:	Pan (mejor integral)	50 g
	Queso de Burgos	20 g
Comida:	Pasta espaguetis	30 g
	Tomate	30 g
	Aceite de oliva	5 g
	Atún en conserva	20 g
	Tomate	50 g
	Lechuga	50 g
	Aceite de maíz	5 g
	Pan	30 g
	Fruta	150 g

Merienda:	Yogur natural	125 g
	Fruta	125 g
Cena:	Patata cocida	50 g
	Espinacas o judías verdes	50 g
	Aceite de oliva	5 g
	Pollo	60 g
	Aceite de oliva	5 g
	Tomate	100 g
	Lechuga	50 g
	Aceite de maíz	5 g
	Pan	30 g
	Fruta	150 g
Resopón:	Leche entera de vaca	150 g
	Galletas dulces	25 g

Viernes

Desayuno: leche semidescremada. Fruta.
Media mañana: pan con jamón de York. Zumo.
Comida: arroz blanco con tomate. Pollo asado. Ensalada. Pan. Fruta.
Merienda: yogur. Fruta.
Cena: hervido. Tortilla francesa (1 huevo). Pan. Fruta.
Resopón: leche. Galletas dulces.

Cantidades: viernes

Desayuno:	Leche semidescremada	200 g
	Fruta	100 g
Media mañana:	Pan (mejor integral)	30 g
	Jamón de York	25 g
	Zumo de naranja	125 g
Comida:	Arroz blanco	20 g
	Tomate	20 g
	Aceite de oliva	5 g
	Pollo	50 g
	Aceite de maíz	5 g
	Lechuga	50 g

	Tomate	50 g
	Aceite de maíz	5 g
	Pan	40 g
	Fruta	200 g
Merienda:	Yogur natural	125 g
	Fruta	100 g
Cena:	Patata cocida	50 g
	Judías verdes	50 g
	Cebolla	25 g
	Aceite de oliva	5 g
	Huevo entero	50 g
	Aceite de maíz	5 g
	Pan	30 g
	Fruta	200 g
Resopón:	Leche entera de vaca	150 g
	Galletas dulces	25 g

Sábado

Desayuno: leche semidescremada. Fruta.
Media mañana: pan con jamón de York. Zumo.
Comida: judías verdes. Hamburguesa con guarnición. Pan. Fruta.
Merienda: leche semidescremada. Galletas dulces.
Cena: sémola. Pescado blanco con ensalada. Pan. Fruta.
Resopón: yogur. Fruta.

Cantidades: sábado

Desayuno:	Leche semidescremada de vaca	200 g
	Fruta	150 g
Media mañana:	Pan (mejor integral)	30 g
	Jamón de York	25 g
	Zumo de naranja	100 g
Comida:	Judías verdes	100 g
	Tomate	100 g
	Cebolla	25 g
	Aceite de oliva	5 g

	Carne picada de ternera	80 g
	Zanahoria	50 g
	Aceite de maíz	5 g
	Pan	25 g
	Fruta	100 g
Merienda:	Leche semidescremada	125 g
	Galletas dulces	20 g
Cena:	Sémola de trigo	25 g
	Pescado blanco	60 g
	Aceite de oliva	5 g
	Lechuga	50 g
	Tomate	100 g
	Aceite de maíz	5 g
	Pan	25 g
	Fruta	100 g
Resopón:	Yogur natural	125 g
	Fruta	100 g

Domingo

Desayuno: leche semidescremada. Fruta.
Media mañana: pan con queso.
Comida: potaje de garbanzos. Ensalada. Pan y fruta.
Merienda: leche. Pan.
Cena: puré de verduras. Pollo asado con ensalada. Pan. Fruta.
Resopón: yogur natural.

Cantidades: domingo

Desayuno:	Leche semidescremada de vaca	200 g
	Fruta	100 g
Media mañana:	Pan (mejor integral)	50 g
	Queso de Burgos	25 g
Comida:	Garbanzos	30 g
	Patata cocida	50 g
	Huevo entero	10 g
	Acelgas	30 g
	Aceite de oliva	5 g
	Jamón serrano	20 g

	Zanahoria	100 g
	Aceite de maíz	5 g
	Pan	35 g
	Fruta	200 g
Merienda:	Leche entera de vaca	200 g
	Pan (mejor integral)	25 g
Cena:	Patata cocida	50 g
	Zanahoria	75 g
	Aceite de oliva	5 g
	Pollo	80 g
	Tomate	100 g
	Aceite de maíz	5 g
	Pan	25 g
	Fruta	150 g
Resopón:	Yogur natural	125 g

Menús de 1.700 kcal diarias para niños diabéticos

Son las adecuadas para niños de alrededor de 6 a 7 años de edad.

Lunes

Desayuno: leche. Fruta.
Media mañana: pan. Queso. Zumo.
Comida: menestra de verduras. Ternera con ensalada. Pan. Fruta.
Merienda: yogur. Fruta.
Cena: hervido. Tortilla con champiñones. Ensalada. Pan. Fruta.
Resopón: yogur. Fruta.

Cantidades: lunes

Desayuno:	Leche entera de vaca	200 g
	Fruta	150 g
Media mañana:	Pan (mejor integral)	35 g
	Queso de Burgos	30 g
	Zumo de naranja	100 g

Comida:	Judías verdes	70 g
	Cebolla	50 g
	Patata cocida	100 g
	Alcachofa	50 g
	Aceite de oliva	5 g
	Ternera	60 g
	Lechuga	100 g
	Tomate	100 g
	Aceite de maíz	8 g
	Pan	25 g
	Fruta	200 g
Merienda:	Yogur natural	200 g
	Fruta	150 g
Cena:	Patata cocida	100 g
	Acelgas	75 g
	Cebolla	25 g
	Zanahoria	50 g
	Aceite de oliva	5 g
	Huevo entero	50 g
	Champiñón	25 g
	Lechuga	100 g
	Tomate	50 g
	Aceite de maíz	5 g
	Pan	15 g
	Fruta	200 g
Resopón:	Yogur natural	125 g
	Fruta	200 g

Martes

Desayuno: leche semidescremada. Fruta.
Media mañana: pan. Jamón de York.
Comida: lentejas estofadas. Jamón serrano con ensalada. Pan. Fruta.
Merienda: leche semidescremada. Tostada con margarina. Fruta.
Cena: sopa de fideos. Pollo asado con ensalada. Pan. Fruta.
Resopón: leche. Fruta.

Cantidades: martes

Desayuno:	Leche semidescremada de vaca	225 g
	Fruta	150 g
Media mañana:	Pan (mejor integral)	50 g
	Jamón de York	20 g
Comida:	Lentejas	20 g
	Patata cocida	75 g
	Cebolla	30 g
	Aceite de oliva	5 g
	Jamón serrano	30 g
	Tomate	100 g
	Lechuga	75 g
	Pan	25 g
	Fruta	150 g
Merienda:	Leche semidescremada	200 g
	Pan	25 g
	Margarina vegetal	5 g
	Fruta	100 g
Cena:	Fideos	20 g
	Pollo	75 g
	Tomate	100 g
	Lechuga	75 g
	Zanahoria	50 g
	Olivas	15 g
	Aceite de maíz	5 g
	Pan	40 g
	Fruta	150 g
Resopón:	Leche entera de vaca	150 g
	Fruta	100 g

Miércoles

Desayuno: leche. Tostada con margarina.
Media mañana: pan. Jamón de York. Zumo.
Comida: ensaladilla. Chuletita de cordero con ensalada. Pan. Fruta.

Merienda: leche. Fruta.
Cena: sopa de fideos. Emperador a la plancha con ensalada. Pan. Fruta.
Resopón: yogur. Fruta.

Cantidades: miércoles

Desayuno:	Leche entera de vaca	200 g
	Pan	30 g
	Margarina vegetal	5 g
Media mañana:	Pan (mejor integral)	40 g
	Jamón de York	25 g
	Zumo de naranja	100 g
Comida:	Patata cocida	60 g
	Judías verdes	30 g
	Guisantes	30 g
	Zanahoria	30 g
	Olivas	15 g
	Huevo entero	10 g
	Aceite de oliva	5 g
	Cordero	70 g
	Lechuga	75 g
	Aceite de maíz	5 g
	Pan	40 g
	Fruta	150 g
Merienda:	Leche entera de vaca	200 g
	Fruta	200 g
Cena:	Fideos	30 g
	Emperador	75 g
	Tomate	50 g
	Aceite de oliva	5 g
	Pan	35 g
	Fruta	175 g
Resopón:	Yogur natural	125 g
	Fruta	125 g

Jueves

Desayuno: leche semidescremada. Fruta.
Media mañana: pan. Queso.
Comida: espaguetis. Ensalada con atún. Pan. Fruta.
Merienda: yogur. Galletas. Fruta.
Cena: Hervido. Pollo a la plancha con ensalada. Pan. Fruta.
Resopón: leche semidescremada. Galletas.

Cantidades: jueves

Desayuno:	Leche semidescremada	220 g
	Fruta	100 g
Media mañana:	Pan (mejor integral)	50 g
	Queso a elegir	20 g
Comida:	Espaguetis	30 g
	Tomate	30 g
	Aceite de oliva	5 g
	Atún en aceite (lata)	25 g
	Tomate	75 g
	Lechuga	50 g
	Aceite de maíz	5 g
	Pan	35 g
	Fruta	150 g
Merienda:	Yogur natural	125 g
	Galletas dulces	15 g
	Fruta	125 g
Cena:	Patata cocida	50 g
	Espinacas	75 g
	Aceite de oliva	5 g
	Pollo	60 g
	Aceite de oliva	5 g
	Tomate	100 g
	Lechuga	50 g
	Aceite de maíz	5 g
	Pan	35 g
	Fruta	150 g

Resopón:	Leche semidescremada	125 g
	Galletas dulces	30 g

Viernes

Desayuno: leche semidescremada. Fruta.
Media mañana: pan. Jamón de York. Fruta.
Comida: arroz blanco con tomate. Pollo asado. Ensalada. Pan. Fruta.
Merienda: yogur. Galletas. Fruta.
Cena: hervido. Tortilla francesa de un huevo. Pan. Fruta.
Resopón: leche entera. Galletas dulces.

Cantidades: viernes

Desayuno:	Leche semidescremada	
	de vaca	200 g
	Fruta	125 g
Media mañana:	Pan (mejor integral)	30 g
	Jamón de York	25 g
	Zumo de naranja	150 g
Comida:	Arroz blanco	30 g
	Tomate	25 g
	Aceite de oliva	5 g
	Pollo	60 g
	Aceite de maíz	5 g
	Tomate	100 g
	Lechuga	50 g
	Aceite de maíz	5 g
	Pan	40 g
	Fruta	200 g
Merienda:	Yogur natural	125 g
	Galletas dulces	15 g
	Fruta	100 g
Cena:	Patata cocida	100 g
	Judías verdes	50 g
	Cebolla	30 g

	Aceite de oliva	5 g
	Huevo entero	50 g
	Aceite de maíz	5 g
	Pan	30 g
	Fruta	200 g
Resopón:	Leche entera de vaca	150 g
	Galletas dulces	35 g

Sábado

Desayuno: leche semidescremada. Fruta.
Media mañana: pan. Jamón de York. Zumo.
Comida: verduras rehogadas. Ternera con guarnición. Pan. Fruta.
Merienda: leche. Galletas.
Cena: sopa de sémola. Tortilla de patata. Ensalada. Pan. Fruta.
Resopón: yogur. Fruta.

Cantidades: sábado

Desayuno:	Leche semidescremada de vaca	225 g
	Fruta	150 g
Media mañana:	Pan (mejor integral)	30 g
	Jamón de York	25 g
	Zumo de fruta	100 g
Comida:	Judías verdes	100 g
	Tomate	100 g
	Cebolla	25 g
	Guisantes	25 g
	Aceite de oliva	10 g
	Ternera	80 g
	Patata cocida	50 g
	Zanahoria	50 g
	Aceite de maíz	5 g
	Pan	50 g
	Fruta	150 g
Merienda:	Leche entera	125 g

	Galletas dulces	30 g
Cena:	Sémola de trigo	25 g
	Huevo entero	50 g
	Patata cocida	50 g
	Aceite de oliva	5 g
	Tomate	100 g
	Lechuga	50 g
	Aceite de maíz	5 g
	Pan	50 g
	Fruta	100 g
Resopón:	Yogur natural	125 g
	Fruta	200 g

Domingo

Desayuno: leche semidescremada. Tostada con margarina. Fruta.
Media mañana: pan. Jamón de York.
Comida: paella valenciana. Pan. Fruta.
Merienda: leche semidescremada. Pan.
Cena: puré de zanahoria. Pescado blanco. Ensalada. Pan. Fruta.
Resopón: yogur natural. Fruta.

Cantidades: domingo

Desayuno:	Leche semidescremada de vaca	150 g
	Pan (mejor integral)	30 g
	Margarina vegetal	5 g
	Fruta	150 g
Media mañana:	Pan (mejor integral)	50 g
	Jamón de York	30 g
Comida:	Paella: Arroz	40 g
	Judías verdes	40 g
	Alcachofa	40 g
	Tomate	40 g
	Conejo	40 g

	Pollo	40 g
	Aceite de oliva	5 g
	Pan	50 g
	Fruta	150 g
Merienda:	Leche semidescremada	100 g
	Pan integral	35 g
Cena:	Patata cocida	75 g
	Zanahoria	75 g
	Aceite de oliva	5 g
	Pescado blanco	80 g
	Tomate	100 g
	Aceite de maíz	5 g
	Pan	25 g
	Fruta	200 g
Resopón:	Yogur natural	125 g
	Fruta	100 g

Menús de 2.000 kcal diarias para niños diabéticos

Son los adecuados para niños entre 7 y 10 años, dependiendo de su peso y de su actividad física.

Lunes

Desayuno: leche entera. Tostadas. Fruta.
Media mañana: pan con fiambre. Zumo.
Comida: menestra de verduras. Ternera con ensalada. Pan. Fruta.
Merienda: yogur. Galletas. Fruta.
Cena: hervido. Tortilla con champiñón. Ensalada. Pan. Fruta.
Resopón: yogur. Fruta.

Cantidades: lunes

	Leche entera de vaca	225 g
Desayuno:	Pan (mejor integral)	25 g
	Margarina vegetal	5 g

	Fruta	125 g
Media mañana:	Pan (mejor integral)	40 g
	Jamón de York o serrano	20 g
	Zumo de naranja	150 g
Comida:	Patata cocida	125 g
	Judías verdes	75 g
	Cebolla	50 g
	Alcachofa	60 g
	Aceite de oliva	10 g
	Ternera	75 g
	Lechuga	100 g
	Tomate	100 g
	Aceite de maíz	7 g
	Pan	30 g
	Fruta	200 g
Merienda:	Yogur natural	125 g
	Galletas dulces	20 g
	Fruta	100 g
Cena:	Patata cocida	100 g
	Acelgas	100 g
	Cebolla	50 g
	Zanahoria	50 g
	Aceite de oliva	5 g
	Huevo entero	50 g
	Champiñón	25 g
	Lechuga	100 g
	Tomate	50 g
	Aceite de maíz	5 g
	Pan	20 g
	Fruta	200 g
Resopón:	Yogur natural	125 g
	Fruta	200 g

Martes

Desayuno: leche semidescremada. Galletas. Fruta.
Media mañana: pan con queso de Burgos. Zumo.
Comida: lentejas estofadas. Jamón serrano con ensalada. Pan. Fruta.

Merienda: leche semidescremada. Pan con margarina vegetal. Fruta.
Cena: sopa de fideos. Pollo asado con ensalada. Pan. Fruta.
Resopón: leche entera. Fruta.

Cantidades: martes

Desayuno:	Leche semidescremada de vaca	250 g
	Galletas dulces	20 g
	Fruta	150 g
Media mañana:	Pan (mejor integral)	50 g
	Queso de Burgos	30 g
	Zumo de naranja	100 g
Comida:	Lentejas	30 g
	Patata cocida	75 g
	Cebolla	30 g
	Aceite de oliva	5 g
	Jamón serrano	35 g
	Tomate	100 g
	Lechuga	100 g
	Pan	40 g
	Fruta	175 g
Merienda:	Leche semidescremada de vaca	225 g
	Pan (mejor integral)	35 g
	Margarina vegetal	10 g
	Fruta	150 g
Cena:	Fideos	30 g
	Pollo	80 g
	Tomate	100 g
	Lechuga	100 g
	Zanahoria	75 g
	Olivas	20 g
	Aceite de maíz	5 g
	Pan	40 g
	Fruta	200 g
Resopón:	Leche entera de vaca	150 g
	Fruta	100 g

Miércoles

Desayuno: leche entera. Tostadas con margarina.
Media mañana: pan con jamón de York. Zumo.
Comida: ensaladilla. Chuletas de cordero con ensalada. Pan. Fruta.
Merienda: leche entera. Galletas dulces. Fruta.
Cena: sopa de fideos. Emperador a la plancha con ensalada. Pan. Fruta.
Resopón: yogur natural. Galletas dulces.

Cantidades: miércoles

Desayuno:	Leche entera de vaca	200 g
	Pan (mejor integral)	30 g
	Margarina vegetal	5 g
Media mañana:	Pan (mejor integral)	40 g
	Jamón de York	25 g
	Zumo de naranja	100 g
Comida:	Patata cocida	75 g
	Judías verdes	40 g
	Guisantes	30 g
	Zanahoria	50 g
	Olivas	20 g
	Mayonesa	10 g
	Cordero	75 g
	Lechuga	75 g
	Aceite de maíz	5 g
	Pan	40 g
	Fruta	200 g
Merienda:	Leche entera de vaca	200 g
	Galletas dulces	20 g
	Fruta	175 g
Cena:	Fideos	40 g
	Emperador	100 g
	Tomate	100 g
	Lechuga	50 g
	Pepino	50 g
	Aceite de oliva	5 g
	Pan	40 g

	Fruta	200 g
Resopón:	Yogur natural	125 g
	Galletas dulces	20 g

Jueves

Desayuno: leche entera. Tostadas con margarina.
Media mañana: pan. Queso. Fruta.
Comida: espaguetis. Ensalada con atún. Pan. Fruta.
Merienda: yogur natural. Galletas. Fruta.
Cena: hervido. Pollo a la plancha con ensalada. Pan. Fruta.
Resopón: leche semidescremada. Galletas dulces.

Cantidades: jueves

Desayuno:	Leche entera de vaca	225 g
	Pan (mejor integral)	30 g
	Margarina vegetal	5 g
Media mañana:	Pan (mejor integral)	50 g
	Queso a elegir	30 g
	Fruta	100 g
Comida:	Espaguetis	35 g
	Tomate	35 g
	Aceite de oliva	5 g
	Atún en aceite (lata)	35 g
	Tomate	100 g
	Lechuga	50 g
	Aceite de maíz	5 g
	Pan	40 g
	Fruta	200 g
Merienda:	Yogur natural	125 g
	Galletas dulces	20 g
	Fruta	125 g
Cena:	Patata cocida	75 g
	Espinacas	75 g
	Aceite de oliva	5 g

	Pollo	75 g
	Aceite de oliva	5 g
	Tomate	100 g
	Lechuga	50 g
	Aceite de maíz	5 g
	Pan	45 g
	Fruta	200 g
Resopón:	Leche semidescremada de vaca	200 g
	Galletas dulces	20 g

Viernes

Desayuno: leche semidescremada. Pan con margarina.
Media mañana: pan con jamón de York. Zumo.
Comida: arroz blanco con tomate. Pescado blanco. Ensalada. Pan. Fruta.
Merienda: yogur natural. Galletas dulces. Fruta.
Cena: hervido. Tortilla francesa de un huevo. Pan. Fruta.
Resopón: leche entera. Galletas dulces.

Cantidades: viernes

Desayuno:	Leche semidescremada de vaca	225 g
	Pan (mejor integral)	30 g
	Margarina vegetal	5 g
Media mañana:	Pan (mejor integral)	35 g
	Jamón de York	25 g
	Zumo de naranja	150 g
Comida:	Arroz blanco	35 g
	Tomate	35 g
	Aceite de oliva	5 g
	Pescado blanco	75 g
	Tomate	100 g
	Lechuga	50 g
	Aceite de maíz	5 g
	Pan	40 g
	Fruta	200 g
Merienda:	Yogur natural	125 g

	Galletas dulces	30 g
	Fruta	100 g
Cena:	Patata cocida	75 g
	Espinacas	75 g
	Aceite de oliva	5 g
	Huevo entero	50 g
	Aceite de oliva	5 g
	Pan	45 g
	Fruta	200 g
Resopón:	Leche de vaca entera	200 g
	Galletas dulces	30 g

Sábado

Desayuno: leche semidescremada. Pan con margarina.
Media mañana: pan con jamón de York. Zumo.
Comida: potaje de garbanzos. Ternera con ensalada. Pan. Fruta.
Merienda: leche entera con galletas.
Cena: puré de patata y zanahoria. Pollo asado con ensalada. Pan. Fruta.
Resopón: yogur. Fruta.

Cantidades: sábado

Desayuno:	Leche semidescremada de vaca	225 g
	Pan (mejor integral)	30 g
	Margarina vegetal	5 g
Media mañana:	Pan (mejor integral)	35 g
	Jamón de York	25 g
	Zumo de naranja	150 g
Comida:	Garbanzos	40 g
	Patata cocida	50 g
	Huevo entero	25 g
	Acelgas	30 g
	Aceite de oliva	5 g
	Ternera	75 g
	Tomate	50 g
	Lechuga	50 g

	Aceite de maíz	5 g
	Pan	45 g
	Fruta	200 g
Merienda:	Leche entera de vaca	200 g
	Galletas dulces	30 g
Cena:	Patata cocida	100 g
	Zanahoria	75 g
	Cebolla	25 g
	Aceite de oliva	5 g
	Pollo	80 g
	Tomate	80 g
	Aceite de maíz	5 g
	Pan	40 g
	Fruta	100 g
Resopón:	Yogur natural	125 g
	Fruta	200 g

Domingo

Desayuno: leche semidescremada. Tostadas con margarina. Fruta.
Media mañana: pan. Fiambre. Zumo.
Comida: paella. Ensalada. Pan. Fruta.
Merienda: leche entera. Galletas.
Cena: sopa de sémola. Pescado blanco a la plancha. Ensalada. Pan. Fruta.
Resopón: yogur. Fruta.

Cantidades: domingo

Desayuno:	Leche semidescremada de vaca	200 g
	Pan (mejor integral)	30 g
	Margarina vegetal	5 g
	Fruta	150 g
Media mañana:	Pan (mejor integral)	60 g
	Fiambre (a elegir)	25 g
	Zumo de naranja	150 g

Comida:	Paella: Arroz	40 g
	Judías verdes	30 g
	Alcachofa	30 g
	Pollo	80 g
	Conejo	30 g
	Tomate	20 g
	Aceite de oliva	10 g
	Lechuga	80 g
	Tomate	80 g
	Pepino	50 g
	Zanahoria	50 g
	Cebolla	20 g
	Aceite de maíz	5 g
	Pan	40 g
	Fruta	150 g
Merienda:	Leche entera de vaca	200 g
	Galletas	30 g
Cena:	Sémola de trigo	20 g
	Pescado blanco	80 g
	Aceite de oliva	5 g
	Lechuga	100 g
	Tomate	100 g
	Zanahoria	50 g
	Aceite de maíz	5 g
	Pan	35 g
	Fruta	200 g
Resopón:	Yogur natural	125 g
	Fruta	200 g

Menús de 2.500 kcal diarias para niños diabéticos

Son las adecuadas para niños diabéticos a partir de los 11 años, dependiendo de su peso y actividad física.

Lunes

Desayuno: leche entera de vaca. Tostadas con margarina. Fruta.
Media mañana: pan con queso de Burgos. Zumo.
Comida: menestra de verduras. Ternera con ensalada. Pan. Fruta.
Merienda: yogur. Galletas.
Cena: hervido. Tortilla con champiñones. Ensalada. Pan. Fruta.
Resopón: yogur. Fruta.

Cantidades: lunes

Desayuno:	Leche entera de vaca	250 g
	Pan (mejor integral)	45 g
	Margarina vegetal	5 g
	Fruta	150 g
Media mañana:	Pan (mejor integral)	50 g
	Queso de Burgos	35 g
	Zumo de naranja	150 g
Comida:	Patata cocida	125 g
	Judías verdes	100 g
	Cebolla	50 g
	Alcachofa	100 g
	Aceite de oliva	10 g
	Ternera	120 g
	Lechuga	100 g
	Tomate	100 g
	Aceite de maíz	10 g
	Pan	40 g
	Fruta	200 g
Merienda:	Yogur natural	200 g
	Galletas dulces	35 g
Cena:	Patata cocida	100 g
	Acelgas	100 g
	Cebolla	50 g
	Zanahoria	50 g
	Aceite de oliva	5 g
	Huevo entero	60 g
	Champiñón	30 g

	Lechuga	100 g
	Tomate	100 g
	Aceite de maíz	5 g
	Pan	40 g
	Fruta	200 g
Resopón:	Yogur natural	200 g
	Fruta	200 g

Martes

Desayuno: leche semidescremada. Galletas. Fruta.
Media mañana: pan. Jamón de York. Zumo.
Comida: lentejas estofadas. Pescado blanco. Ensalada. Pan. Fruta.
Merienda: leche semidescremada. Tostadas con margarina. Fruta.
Cena: sopa de fideos y zanahoria. Pollo asado con patatas fritas. Ensalada. Pan. Fruta.
Resopón: leche entera. Fruta.

Cantidades: martes

Desayuno:	Leche semidescremada de vaca	250 g
	Galletas dulces	35 g
	Fruta	200 g
Media mañana:	Pan (mejor integral)	50 g
	Jamón de York	30 g
	Zumo de naranja	125 g
Comida:	Lentejas	30 g
	Patata cocida	75 g
	Cebolla	30 g
	Aceite de oliva	5 g
	Pescado blanco	125 g
	Tomate	100 g
	Lechuga	100 g
	Aceite de maíz	5 g
	Pan	50 g
	Fruta	200 g

Merienda:	Leche semidescremada de vaca	250 g
	Pan (mejor integral)	50 g
	Margarina vegetal	5 g
	Fruta	200 g
Cena:	Fideos	30 g
	Zanahoria	50 g
	Pollo	80 g
	Patatas	100 g
	Aceite de oliva	5 g
	Tomate	100 g
	Pepino	75 g
	Lechuga	75 g
	Aceite de maíz	5 g
	Pan	50 g
	Fruta	200 g
Resopón:	Leche de vaca entera	225 g
	Fruta	125 g

Miércoles

Desayuno: leche entera. Tostadas con margarina.
Media mañana: pan. Queso. Zumo.
Comida: ensaladilla. Chuletas de cordero con ensalada. Pan. Fruta.
Merienda: leche entera. Galletas. Frutas.
Cena: sopa de fideos. Emperador a la plancha. Ensalada. Pan. Fruta.
Resopón: yogur natural. Galletas dulces.

Cantidades: miércoles

Desayuno:	Leche entera de vaca	250 g
	Pan (mejor integral)	30 g
	Margarina vegetal	5 g
Media mañana:	Pan (mejor integral)	50 g
	Queso a elegir	30 g
	Zumo de naranja	150 g
Comida:	Patata cocida	100 g

	Judías verdes	100 g
	Guisantes	75 g
	Zanahoria	50 g
	Olivas	20 g
	Mayonesa	10 g
	Cordero	75 g
	Tomate	100 g
	Lechuga	75 g
	Aceite de maíz	5 g
	Pan	50 g
	Fruta	250 g
Merienda:	Leche entera de vaca	250 g
	Galletas dulces	30 g
	Fruta	175 g
Cena:	Fideos	40 g
	Emperador	175 g
	Aceite de oliva	5 g
	Tomate	100 g
	Lechuga	100 g
	Zanahoria	50 g
	Pepino	50 g
	Aceite de maíz	5 g
	Pan	50 g
	Fruta	200 g
Resopón:	Yogur natural	150 g
	Galletas dulces	30 g

Jueves

Desayuno: leche entera. Tostadas con margarina.
Media mañana: pan. Jamón serrano. Fruta.
Comida: espaguetis. Ensalada con atún. Pan. Fruta.
Merienda: yogur. Galletas dulces. Fruta.
Cena: hervido. Pollo a la plancha con ensalada. Pan. Fruta.
Resopón: leche semidescremada. Galletas.

Cantidades: jueves

Desayuno:	Leche entera de vaca	250 g
	Pan (mejor integral)	30 g
	Margarina vegetal	5 g
Media mañana:	Pan (mejor integral)	50 g
	Jamón serrano	30 g
	Fruta	100 g
Comida:	Pasta	50 g
	Tomate	40 g
	Carne picada	30 g
	Aceite de oliva	5 g
	Atún en aceite (lata)	30 g
	Tomate	125 g
	Lechuga	100 g
	Zanahoria	75 g
	Pepino	50 g
	Aceite de maíz	7 g
	Pan	50 g
	Fruta	200 g
Merienda:	Yogur natural	175 g
	Galletas dulces	30 g
	Fruta	150 g
Cena:	Patata cocida	125 g
	Espinacas	100 g
	Aceite de oliva	5 g
	Pollo	80 g
	Aceite de oliva	5 g
	Tomate	125 g
	Lechuga	125 g
	Aceite de maíz	5 g
	Pan	50 g
	Fruta	200 g
Resopón:	Leche semidescremada de vaca	250 g
	Galletas dulces	30 g

Viernes

Desayuno: leche semidescremada. Tostadas con margarina.
Media mañana: pan. Fiambre. Zumo.
Comida: arroz blanco con tomate. Pollo asado con patatas. Ensalada. Pan.
Fruta.
Merienda: yogur. Galletas. Fruta.
Cena: hervido. Tortilla con verdura. Pan. Fruta.
Resopón: leche entera. Galletas.

Cantidades: viernes

Desayuno:	Leche	
	semidescremada de vaca	250 g
	Pan (mejor integral)	45 g
	Margarina vegetal	5 g
Media mañana:	Pan (mejor integral)	50 g
	Fiambre (a elegir)	40 g
	Zumo de fruta	150 g
Comida:	Arroz blanco	40 g
	Tomate	100 g
	Aceite de oliva	10 g
	Pollo	125 g
	Patatas asadas	100 g
	Aceite de maíz	5 g
	Lechuga	100 g
	Tomate	100 g
	Aceite de maíz	5 g
	Pan	50 g
	Fruta	200 g
Merienda:	Yogur natural	250 g
	Galletas dulces	35 g
	Fruta	200 g
Cena:	Patata cocida	125 g
	Judías verdes	125 g
	Cebolla	100 g
	Aceite de oliva	8 g
	Huevo entero	65 g
	Espárragos, berenjena, cebolla	50 g

	Aceite de maíz	8 g
	Pan	40 g
	Fruta	200 g
Resopón:	Leche entera de vaca	200 g
	Galletas dulces	35 g

Sábado

Desayuno: leche semidescremada. Fruta.
Media mañana: pan. Queso. Zumo.
Comida: verduras rehogadas. Ternera con guarnición. Pan. Fruta.
Merienda: leche descremada. Galletas dulces.
Cena: sopa de sémola. Pollo asado con ensalada. Pan. Fruta.
Resopón: yogur. Fruta.

Cantidades: sábado

Desayuno:	Leche semidescremada de vaca	250 g
	Fruta	200 g
Media mañana:	Pan (mejor integral)	50 g
	Queso (a elegir)	35 g
	Zumo	125 g
Comida:	Judías verdes	150 g
	Tomate	100 g
	Guisantes	100 g
	Cebolla	75 g
	Aceite de oliva	5 g
	Ternera	125 g
	Patata cocida	75 g
	Lechuga	100 g
	Tomate	100 g
	Zanahoria	100 g
	Aceite de maíz	10 g
	Pan	50 g
	Fruta	200 g
Merienda:	Leche semidescremada de vaca	250 g

	Galletas dulces	50 g
Cena:	Sémola de trigo	30 g
	Zanahoria	25 g
	Pollo	75 g
	Aceite de oliva	5 g
	Lechuga	150 g
	Tomate	100 g
	Zanahoria	100 g
	Aceite de maíz	5 g
	Pan	50 g
	Fruta	200 g
Resopón:	Yogur natural	125 g
	Fruta	200 g

Domingo

Desayuno: leche entera. Tostadas con margarina. Fruta.
Media mañana: pan. Jamón de York. Zumo.
Comida: paella. Ensalada. Pan. Fruta.
Merienda: leche entera. Galletas dulces. Fruta.
Cena: puré de zanahoria. Jamón serrano con ensalada. Pan. Fruta.
Resopón: yogur. Fruta.

Cantidades: domingo

Desayuno:	Leche entera de vaca	200 g
	Pan (mejor integral)	40 g
	Margarina vegetal	5 g
	Fruta	200 g
Media mañana:	Pan (mejor integral)	50 g
	Jamón de York	30 g
	Zumo de naranja	125 g
Comida:	Paella: Arroz	50 g
	Judías verdes	40 g
	Alcachofa	40 g
	Pollo	80 g
	Conejo	40 g

Tomate	20 g
Aceite de oliva	10 g
Lechuga	100 g
Tomate	100 g
Pepino	50 g
Zanahoria	75 g
Aceite de maíz	8 g
Pan	50 g
Fruta	200 g

Merienda:	Leche entera de vaca	200 g
	Galletas dulces	35 g
	Fruta	200 g
Cena:	Patata cocida	150 g
	Zanahoria	100 g
	Cebolla	50 g
	Aceite de oliva	5 g
	Jamón serrano	60 g
	Tomate	100 g
	Lechuga	100 g
	Zanahoria	100 g
	Aceite de maíz	5 g
	Pan	40 g
	Fruta	200 g
Resopón:	Yogur natural	200 g
	Fruta	200 g

16

Alimentación del niño obeso

En los países desarrollados la obesidad es el trastorno nutricional más frecuente en la infancia y la adolescencia. Además, su frecuencia aumenta sin cesar en relación con un mayor nivel de vida, que conlleva más disponibilidad de alimentos, los malos hábitos nutricionales, con el aumento excesivo de ingesta calórica, y con un mayor sedentarismo en la vida diaria.

La importancia de la obesidad en el niño no sólo es porque ocasiona trastornos físicos y psicológicos, sino porque tiene grandes repercusiones sobre la salud y la mortalidad precoz en la vida adulta.

La obesidad es cada vez más frecuente en los países desarrollados por el aumento de la disponibilidad de los alimentos y los malos hábitos nutricionales.

La obesidad en el niño tiene repercusiones en su salud y efectos nocivos a largo plazo.

Definición y características de la obesidad

La obesidad se define como un incremento exagerado del peso corporal debido al aumento del tejido adiposo, que puede significar un riesgo para la salud.

La obesidad es una enfermedad crónica de origen multifactorial, es decir, que se necesitan varios condicionantes para que se desarrolle. En muchas ocasiones existen factores genéticos, pero que se desarrollan por causa de un desequilibrio entre la cantidad de energía que se ingiere y la que se consume, originando un exceso de energía ingresada en el cuerpo que se convierte en grasa y se acumula.

La obesidad infantil se clasifica en dos grandes grupos: la obesidad exógena o simple, responsable del 99% de los casos, y la obesidad endógena o patológica, causada por una enfermedad endocrina o por un síndrome genético-dismórfico identificado, que es sólo el 1% de los casos de obesidad.

Es decir, todos los niños obesos necesitan de un estudio por parte del pediatra, un examen médico completo para descartar alguna enfermedad que sea causante de la obesidad.

> La obesidad es un aumento exagerado del peso corporal debido al aumento del tejido adiposo, que pone en peligro la salud corporal.
>
> La mayoría de los casos de obesidad se denomina exógena o simple, causada por una alimentación excesiva.
>
> Un porcentaje muy pequeño de niños obesos padece una enfermedad endocrina o genética. Todos los chicos obesos precisan un estudio médico completo.

Peso normal, sobrepeso y obesidad

Durante la infancia y la adolescencia, para saber si el peso de un niño es normal, o no, hay que tener en cuenta no sólo la edad, sino también la altura, el sexo y el grado de desarrollo puberal.

Entre todos los métodos utilizados como indicadores de un tamaño corporal adecuado, el más generalizado y útil es el índice de masa corporal, IMC, que relaciona el peso con la talla. Se calcula dividiendo el peso corporal en kg por el cuadrado de la talla expresada en centímetros. Así un niño de 5 años que pese 20 kg y mida 111 cm, tendrá un IMC de 20 dividido por el cuadrado de 1,11; es decir, un IMC de 16.

Para saber si este peso, esta talla y este IMC son normales, tendremos que acudir a las curvas de percentiles. Son curvas que se confeccionan con los datos de miles de niños normales, y usando métodos estadísticos definen el límite superior de la normalidad (más dos desviaciones estándar de la media o percentil 97).

Se denomina sobrepeso un IMC todavía normal, pero en los límites superiores, por encima del percentil 90. Se denomina obesidad un IMC superior al percentil 97. Para los niños españoles, estos IMC son los siguientes:

Tabla 1

IMC en niños españoles de 3 a 18 años

Edad en años	Sobrepeso	Obesidad
3 – 5	18 – 19	Mayor de 19
6 – 8	19 – 21	Mayor de 21
9	20 – 21	Mayor de 21
10	21 – 23	Mayor de 23
11	22 – 24	Mayor de 24
12 – 13	23 – 25	Mayor de 25
14 – 16	24 – 27	Mayor de 27
17 – 18	26 – 28	Mayor de 28

Tabla 2

IMC en niñas españolas de 3 a 18 años

Edad en años	Sobrepeso	Obesidad
3 – 5	18 – 19	Mayor de 19
6 – 8	19 – 21	Mayor de 21
9	20 – 22	Mayor de 22
10	21 – 23	Mayor de 23
11	22 – 25	Mayor de 25
12 – 13	23 – 26	Mayor de 26
14 – 16	24 – 27	Mayor de 27
17 – 18	26 – 28	Mayor de 28

Como se observa en las dos tablas, los IMC para niños y niñas son casi idénticos, con sólo ligeras diferencias.

El niño que se ha puesto de ejemplo anteriormente: de 5 años, 20 kg de peso y 111 cm de talla tiene un IMC de 16 (20 dividido por 1,11 al cuadrado) totalmente normal. Si el niño está delgado tendrá un IMC bajo, y por debajo de dos desviaciones estándar de la media se considera anormalmente bajo.

Si pesara 24 kg tendría un IMC algo mayor de 19 (24 dividido por 1,11 al cuadrado) y estaría situado en el límite entre el sobrepeso y la obesidad.

En el adulto, la Organización Mundial de la Salud aconseja que no se supere un IMC de 25 y propone definir tres grados de gravedad de la obesidad.

- Obesidad grado 1: IMC entre 25 y 30
- Obesidad grado 2: IMC entre 30 y 35
- Obesidad grado 3: IMC mayor de 35

En el niño, para saber si su peso es normal hay que tener en cuenta la edad, la talla, el sexo y el grado de desarrollo puberal.

El método más usado como indicador de peso corporal adecuado es el índice de masa corporal, IMC, que relaciona el peso con la talla.

Existen tablas y curvas de percentiles para cada edad y sexo, que según el IMC señalan si existe sobrepeso u obesidad.

En el adulto, la Organización Mundial de la Salud recomienda que no se supere un IMC de 25.

¿Por qué se produce la obesidad?

A pesar de los avances de la medicina en las últimas décadas, los mecanismos por los que se produce la obesidad son, en gran parte, desconocidos.

Sí se conocen algunos hechos fundamentales:

- Siempre es el resultado del desequilibrio entre excesiva ingesta de alimentos y el escaso gasto energético.
- La acumulación de grasa es siempre lenta y progresiva, por lo que la prevención conviene que sea precoz, en los primeros años de vida, y cuando exista sobrepeso aunque no haya todavía obesidad.
- La obesidad tiende a la autoperpetuación, es decir, una vez establecida se crean mecanismos corporales que la favorecen. Para que las medidas de prevención tengan éxito deben iniciarse antes de que se establezca.

De los dos factores que influyen en la obesidad, genéticos y ambientales, sólo se puede actuar sobre los segundos. Los factores genéticos hasta el momento son inmutables, y son los que ordenan los complejos condicionantes de regulación del peso corporal, en el cual intervienen hormonas, la leptina y neuropéptidos.

Sí se pueden modificar los factores ambientales que contribuyen al desarrollo de la obesidad: los hábitos nutricionales y los estilos de vida.

Los hábitos nutricionales que favorecen la obesidad son la ingesta de alimentos con alto contenido en energía y poco volumen. Son:

- Dulces.
- Pasteles.
- Helados.
- Bollería.
- Líquidos azucarados.
- Patatas fritas.
- Embutidos, salchichas y hamburguesas.
- Mantequilla.

El sedentarismo, el escaso ejercicio físico, asociado muchas veces a tiempos prolongados viendo la televisión, conlleva una disminución del gasto energético y muchas veces a consumo de «alimentos basura», con el incremento de ingesta calórica.

La inestabilidad emocional es otro factor ambiental asociado al desarrollo de la obesidad. Los problemas familiares, las enfermedades crónicas, la sobreprotección del niño, son factores que pueden propiciar y autoperpetuar la obesidad.

La obesidad se produce por la suma de factores genéticos, sobre los que no se puede influir, y factores ambientales, que sí se pueden modificar.

La acumulación de grasa es siempre progresiva, por lo que la prevención debe ser precoz, en los primeros años de la vida.

Los hábitos nutricionales que favorecen la obesidad son la ingesta de alimentos con alto contenido en energía: dulces, pasteles, helados, bollería, patatas fritas, embutidos y mantequillas.

El sedentarismo, el escaso ejercicio físico y la inestabilidad emocional, también son factores que favorecen la obesidad.

La lactancia materna es un factor protector.

También puede influir el tipo de alimentación recibido durante el primer año de vida: la lactancia materna es un factor protector contra la obesidad, mientras que la lactancia artificial, así como el consumo excesivo de papillas de cereales, son factores predisponentes.

¿Por qué no es buena la obesidad?

La obesidad no es una enfermedad en sí misma, salvo en situaciones extremas, pero tiene repercusiones sobre la salud, sobre todo a largo plazo en la vida adulta.

En el niño y el adolescente obeso son frecuentes los trastornos psicológicos ligados a una pérdida de la autoestima y al rechazo de la propia imagen corporal. Puede haber un rechazo social por parte de sus compañeros de clase o de juegos. El niño puede sufrir problemas mecánicos ligados al sobrepeso, como alteraciones en las piernas y en la columna vertebral.

La repercusión nociva de la obesidad es a largo plazo, a través de su perpetuación en la vida adulta, que significa un alto riesgo de enfermedades graves, con alta mortalidad. Las alteraciones en el metabolismo de las grasas provocan hiperlipidemia, con ateroesclerosis y posibilidad de obstrucción de las arterias coronarias (infarto de miocardio), de obstrucción de las arterias cerebrales (ictus o accidente vascular cerebral). También los obesos tienen más posibilidad de tener diabetes mellitus del tipo 2, trastornos respiratorios como apnea del sueño, y mayor incidencia de otras enfermedades como hipertensión arterial, osteoartritis, hiperuricemia (aumento del ácido úrico), etcétera.

> La obesidad no es una enfermedad en sí misma, pero tiene graves repercusiones en la vida adulta.
>
> El niño y adolescente obeso puede sufrir trastornos psicológicos o rechazo social.
>
> El adulto obeso corre un alto riesgo de enfermedades graves, con alta mortalidad: ateroesclerosis y posibilidad de infarto de miocardio y de accidente vascular cerebral. También mayor incidencia de diabetes mellitus tipo 2, de apnea del sueño, etcétera.

Prevención y tratamiento de la obesidad

El tratamiento de la obesidad es difícil, por lo que conviene insistir en los aspectos preventivos, ya que se desarrolla de forma progresiva, a veces, desde los primeros años de la vida con sobrepeso.

Siendo el sobrepeso y la obesidad el resultado de un desequilibrio continuado en la ingesta de energía, es ineludible para los padres y sobre todo, para el pediatra del niño, el seguimiento de las curvas de crecimiento en peso y en talla. Si existe una desviación en la relación del peso respecto a la talla hacia el sobrepeso, debe revisarse la alimentación del niño, adaptando la ingesta de nutrientes a sus necesidades.

La mejor prevención se realiza aplicando unas normas de alimentación que eliminen el sobrepeso pero que continúen el crecimiento normal en talla.

El tratamiento de la obesidad en el niño debe estar siempre dirigido y controlado por el médico pediatra, ya que a diferencia del adulto en que sólo se trata de disminuir el peso, en el niño hay que conseguir que esto se realice sin disminuir el ritmo del crecimiento.

El tratamiento de la obesidad requiere:

• Modificación de los hábitos nutricionales.
• Modificación en los estilos de vida, con una mayor actividad física.
• Soporte psicoafectivo.

Es un tratamiento difícil que fracasa en muchas ocasiones, ya que se dirige no sólo al niño sino hacia su ambiente familiar y escolar. La reeducación nutricional pasa por la colaboración y comprensión de la familia, y es más efectiva cuando comienza muy pronto, en los primeros meses o años de vida.

En el niño no está indicado ningún medicamento regulador del apetito o «para perder peso». Estos fármacos pueden ser muy peligrosos en la infancia.

El incremento en la actividad física debe ser progresivo, para adaptar al organismo lentamente al cambio metabólico. En el niño totalmente sedentario se debe empezar por paseos de una hora de duración y por juegos no violentos. La participación en deportes debe hacerse comenzando por sólo media hora al día, incrementando el tiempo poco a poco, ya que la adaptación muscular es muy lenta. Lo esencial no es la intensidad sino la constancia, con ejercicio diario.

Ya que el tratamiento de la obesidad es difícil y fracasa en muchas ocasiones, es mejor la prevención lo más temprano posible.

La mejor prevención se realiza aplicando unas normas de alimentación que elimine el sobrepeso, pero que permitan el crecimiento normal en talla.

El tratamiento de la obesidad en el niño debe estar siempre dirigido y controlado por el médico pediatra.

El tratamiento requiere modificación de los hábitos nutricionales, modificación de los estilos de vida con mayor actividad física, y soporte psicoafectivo.

El niño no debe tomar ningún medicamento «para perder peso» o regulador del apetito.

Dietas para niños con sobrepeso y obesidad

Para conseguir el doble objetivo de eliminar el sobrepeso y permitir un crecimiento normal, las dietas deben mantener el aporte de proteínas, vitaminas, minerales y oligoelementos que corresponden a su edad. La disminución de la ingesta de calorías se hará reduciendo la ingesta de grasas y de hidratos de carbono, lo que se denomina dieta hipocalórica. El régimen hipocalórico debe durar sólo 2 o 3 meses, con una evaluación posterior de los resultados. Es inefectivo si no se acompaña del resto de medidas indicadas.

En *niños menores de 7 años*, suele ser suficiente una dieta que:

- Suprima los caramelos, golosinas, pasteles, bollería, embutidos y hamburguesas.
- Incremente el consumo de alimentos con bajo contenido energético: verduras, frutas y legumbres.

En *niños mayores de 7 años* y hasta el comienzo de la pubertad, se pueden dar dietas de 1.000 o de 1.200 kcal al día, según la edad y la intensidad de la obesidad, con la siguiente distribución de nutrientes: 50% de las calorías como hidratos de carbono, 30% como grasas y 20% como proteínas.

Durante *la adolescencia* se pueden consumir dietas de 1.400 kcal al día, con la misma distribución anterior. El reparto de la ingesta será: 15% con el desayuno, 15% a media mañana, 30% con la comida, 15% con la merienda y 25% con la cena.

Para mantener el crecimiento, las dietas para niños obesos deben seguir aportando las proteínas, vitaminas, minerales y oligoelementos que corresponden a su edad.

La reducción de la ingesta de calorías se hará de las grasas y de los hidratos de carbono.

La dieta hipocalórica se seguirá sólo durante 2 a 3 meses y se evaluará el resultado.

Los niños mayores de 7 años precisan dietas de 1.000 a 1.200 kcal.

En los adolescentes se deben consumir dietas de 1.400 kcal.

Tratamiento durante la fase de mantenimiento

Si se ha conseguido normalizar el peso se entra en la fase de mantenimiento, en la que es esencial el mantener los hábitos nutricionales adquiridos en la fase anterior, pero ya con una alimentación normocalórica y equilibrada, es decir, la que corresponde para su edad.

Hay que consolidar los cambios en los estilos de vida de la fase de pérdida de peso, con incremento en la actividad física y soporte familiar psicoafectivo.

Conviene vigilar el posible rebote de aumento de peso. Recordar que el aumento normal de peso en el niño es muy diferente a cada edad. En el niño con peso normal al nacimiento, lo habitual es:

- Durante el primer año de vida se aumenta aproximadamente 7 kg, triplicándose el peso al nacimiento.
- Desde el año de edad hasta los dos años se aumenta normalmente tan sólo 3 kg.
- Desde el segundo año hasta el comienzo de la adolescencia, el aumento se estabiliza sobre 2 kg al año.
- La adolescencia es un período de crecimiento rápido, ganando las niñas de 20 a 25 kg y los niños de 23 a 28 kg.

Los períodos de mayor ganancia de peso también son etapas de riesgo en el inicio y el desarrollo de obesidad, por ser épocas de gran demanda de nutrientes, y pueden manifestarse con más intensidad los desequilibrios en la dieta.

Después de la reducción del peso excesivo se deben mantener los hábitos nutricionales adquiridos, pero con una alimentación normal, la que corresponde a la edad del niño.

Hay que continuar con los estilos de vida adquiridos, con aumento de la actividad física y apoyo familiar.

Conviene vigilar el posible rebote de aumento de peso.

Hay que recordar que el aumento normal de peso en el niño es diferente a cada edad.

Menús de 1.000 kcal diarias para niños obesos

Lunes

Desayuno: leche descremada. Fruta.
Media mañana: pan y queso descremado. Zumo.
Comida: menestra de verdura. Ternera a la plancha con ensalada. Pan. Fruta.
Merienda: leche descremada. Fruta.
Cena: hervido. Tortilla de champiñón. Ensalada. Fruta.

Cantidades: lunes

Desayuno:	Leche descremada de vaca	150 g
	Fruta	100 g
Media mañana:	Pan	25 g
	Queso descremado	20 g
	Zumo de naranja	125 g
Comida:	Judías verdes	50 g
	Alcachofa	50 g
	Patata cocida	30 g
	Cebolla	25 g
	Aceite de oliva	5 g
	Ternera	50 g
	Lechuga	100 g

	Tomate	100 g
	Aceite de maíz	5 g
	Pan	15 g
	Fruta	150 g
Merienda:	Leche descremada de vaca	150 g
	Fruta	125 g
Cena:	Patata cocida	30 g
	Acelgas	30 g
	Aceite de oliva	5 g
	Huevo entero	50 g
	Champiñón	30 g
	Tomate	100 g
	Aceite de maíz	5 g
	Fruta	100 g

Martes

Desayuno: leche descremada. Fruta.
Media mañana: pan. Jamón de York. Zumo.
Comida: potaje de garbanzos. Pan con tomate. Fruta.
Merienda: leche descremada. Fruta.
Cena: puré de patatas y zanahoria. Pollo plancha con lechuga. Pan. Fruta.

Cantidades: martes

Desayuno:	Leche descremada de vaca	150 g
	Fruta	100 g
Media mañana:	Pan	25 g
	Jamón de York	20 g
	Zumo de naranja	150 g
Comida:	Garbanzos	20 g
	Patata	30 g
	Huevo	25 g
	Acelgas	25 g
	Aceite de oliva	5 g
	Pan	20 g
	Tomate	10 g

	Aceite de maíz	5 g
	Fruta	100 g
Merienda:	Leche descremada de vaca	100 g
	Fruta	100 g
Cena:	Patata cocida	50 g
	Zanahoria	50 g
	Aceite de oliva	5 g
	Pollo	50 g
	Lechuga	50 g
	Aceite de maíz	5 g
	Pan	15 g
	Fruta	100 g

Miércoles

Desayuno: leche descremada. Fruta.
Media mañana: pan. Jamón de York. Zumo.
Comida: ensaladilla. Cordero con ensalada. Pan. Fruta.
Merienda: leche descremada. Fruta.
Cena: sopa de fideos. Emperador con ensalada. Pan. Fruta.

Cantidades: miércoles

Desayuno:	Leche descremada de vaca	150 g
	Fruta	100 g
Media mañana:	Pan	25 g
	Jamón de York	20 g
	Zumo de naranja	150 g
Comida:	Patata cocida	50 g
	Judías verdes	25 g
	Guisantes	25 g
	Olivas	10 g
	Aceite de oliva	5 g
	Cordero	60 g
	Tomate	100 g
	Lechuga	100 g

	Aceite de oliva	5 g
	Pan	25 g
	Fruta	100 g
Merienda:	Leche de vaca descremada	100 g
	Fruta	100 g
Cena:	Fideos o pasta	25 g
	Emperador	50 g
	Tomate	100 g
	Aceite de oliva	5 g
	Pan	15 g
	Fruta	100 g

Jueves

Desayuno: leche descremada. Fruta.
Media mañana: pan. Jamón serrano.
Comida: espaguetis con tomate. Merluza con ensalada. Pan. Fruta.
Merienda: leche descremada. Fruta.
Cena: hervido. Tortilla francesa con ensalada. Pan. Fruta.

Cantidades: jueves

Desayuno:	Leche de vaca descremada	150 g
	Fruta	100 g
Media mañana:	Pan	30 g
	Jamón serrano	25 g
Comida:	Pasta con espaguetis	25 g
	Tomate	25 g
	Aceite de oliva	5 g
	Merluza	50 g
	Lechuga	50 g
	Tomate	75 g
	Aceite de maíz	5 g
	Pan	15 g
	Fruta	100 g

Merienda:	Leche descremada de vaca	200 g
	Fruta	100 g
Cena:	Patata cocida	50 g
	Espinacas	50 g
	Aceite de oliva	5 g
	Huevo entero	50 g
	Lechuga	100 g
	Tomate	100 g
	Aceite de maíz	5 g
	Pan	15 g
	Fruta	100 g

Viernes

Desayuno: leche descremada. Fruta.
Media mañana: pan. Jamón de York.
Comida: arroz blanco con tomate. Pollo asado con ensalada. Pan. Fruta.
Merienda: yogur natural. Fruta.
Cena: ensalada. Pescado a la plancha o al horno con patatas y champiñones. Pan. Fruta.

Cantidades: viernes

Desayuno:	Leche de vaca descremada	150 g
	Fruta	100 g
Media mañana:	Pan	25 g
	Jamón de York	20 g
Comida:	Arroz	25 g
	Tomate	50 g
	Aceite de oliva	5 g
	Pollo	40 g
	Lechuga	100 g
	Tomate	50 g
	Aceite de maíz	5 g
	Pan	15 g
	Fruta	150 g

Merienda:	Yogur natural	125 g
	Fruta	100 g
Cena:	Lechuga	50 g
	Tomate	50 g
	Zanahoria	50 g
	Aceite de maíz	5 g
	Pescado	40 g
	Champiñón	20 g
	Patata	25 g
	Aceite de oliva	5 g
	Pan	15 g
	Fruta	150 g

Sábado

Desayuno: leche descremada. Fruta.
Media mañana: pan. Jamón de York.
Comida: Judías verdes rehogadas. Ternera plancha con lechuga. Pan. Fruta.
Merienda: leche descremada. Fruta.
Cena: Sopa de sémola. Tortilla de patata. Pan. Fruta.

Cantidades: sábado

Desayuno:	Leche descremada	150 g
	Fruta	100 g
Media mañana:	Pan	25 g
	Jamón de York	20 g
Comida:	Judías verdes	100 g
	Tomate	100 g
	Cebolla	25 g
	Aceite de oliva	5 g
	Ternera	70 g
	Lechuga	50 g
	Aceite de maíz	5 g
	Pan	15 g
	Fruta	100 g
Merienda:	Leche de vaca descremada	150 g

	Fruta	100 g
Cena:	Sémola	20 g
	Huevo	50 g
	Patata cocida	50 g
	Aceite de oliva	5 g
	Pan	15 g
	Fruta	100 g

Domingo

Desayuno: leche entera de vaca. Fruta.
Media mañana: pan. Queso descremado. Zumo.
Comida: lentejas estofadas. Pan con tomate con jamón serrano. Fruta.
Merienda: leche descremada. Fruta.
Cena: sopa de fideos. Pollo plancha con ensalada. Pan. Fruta.

Cantidades: domingo

Desayuno:	Leche entera de vaca	150 g
	Fruta	100 g
Media mañana:	Pan	25 g
	Queso descremado	20 g
	Zumo de naranja	125 g
Comida:	Lentejas	30 g
	Patata cocida	60 g
	Cebolla	25 g
	Aceite de oliva	5 g
	Pan	15 g
	Tomate	50 g
	Jamón serrano	20 g
	Fruta	100 g
Merienda:	Leche descremada de vaca	150 g
	Fruta	100 g
Cena:	Fideos, pasta	20 g
	Pollo	50 g

Lechuga	50 g
Aceite de maíz	5 g
Pan	15 g
Fruta	100 g

Menús de 1.200 kcal diarias para niños obesos

Lunes

Desayuno: leche descremada. Fruta.
Media mañana: pan. Queso descremado. Zumo de fruta.
Comida: menestra de verduras. Ternera a la plancha con ensalada. Pan. Fruta.
Merienda: leche descremada. Fruta.
Cena: hervido. Tortilla de champiñón. Ensalada. Pan. Fruta.

Cantidades: lunes

Desayuno:	Leche descremada de vaca	200 g
	Fruta	100 g
Media mañana:	Pan	25 g
	Queso descremado	20 g
	Zumo de naranja	125 g
Comida:	Judías verdes	50 g
	Alcachofa	50 g
	Patata cocida	50 g
	Cebolla	50 g
	Aceite de oliva	5 g
	Ternera	60 g
	Lechuga	100 g
	Tomate	100 g
	Aceite de maíz	5 g
	Pan	20 g
	Fruta	150 g
Merienda:	Leche descremada de vaca	200 g
	Fruta	100 g

Cena:	Patata cocida	30 g
	Acelgas	30 g
	Cebolla	20 g
	Aceite de oliva	5 g
	Huevo entero	50 g
	Champiñón	30 g
	Lechuga	100 g
	Tomate	100 g
	Aceite de maíz	5 g
	Pan	15 g
	Fruta	150 g

Martes

Desayuno: leche descremada. Fruta.
Media mañana: pan. Jamón de York. Zumo.
Comida: lentejas estofadas. Pan con tomate con jamón serrano. Fruta.
Merienda: leche descremada. Fruta.
Cena: sopa de fideos. Pollo plancha con ensalada. Pan. Fruta.

Cantidades: martes

Desayuno:	Leche de vaca descremada	200 g
	Fruta	100 g
Media mañana:	Pan	25 g
	Jamón de York	20 g
	Zumo de naranja	125 g
Comida:	Lentejas	30 g
	Patata cocida	30 g
	Cebolla	25 g
	Aceite de oliva	5 g
	Pan	25 g
	Tomate	50 g
	Jamón serrano	20 g
	Fruta	150 g
Merienda:	Leche descremada de vaca	200 g
	Fruta	100 g

Cena:	Fideos, pasta	25 g
	Pollo	50 g
	Lechuga	100 g
	Aceite de maíz	5 g
	Pan	15 g
	Fruta	150 g

Miércoles

Desayuno: leche descremada. Fruta.
Media mañana: pan. Queso descremado. Zumo.
Comida: Ensaladilla. Cordero con ensalada. Pan. Fruta.
Merienda: leche descremada. Fruta.
Cena: sopa de fideos. Emperador con ensalada. Pan. Fruta.

Cantidades: miércoles

Desayuno:	Leche descremada de vaca	200 g
	Fruta	100 g
Media mañana:	Pan	25 g
	Queso descremado	20 g
	Zumo de naranja	125 g
Comida:	Patata cocida	50 g
	Judías verdes	30 g
	Guisantes	25 g
	Olivas	10 g
	Aceite de oliva	5 g
	Cordero	50 g
	Lechuga	100 g
	Aceite de maíz	5 g
	Pan	15 g
	Fruta	150 g
Merienda:	Leche descremada de vaca	200 g
	Fruta	100 g
Cena:	Fideos o pasta	30 g
	Emperador	50 g

Tomate		100 g
Aceite de oliva		5 g
Pan		15 g
Fruta		150 g

Jueves

Desayuno: leche descremada. Fruta.
Media mañana: pan. Jamón serrano.
Comida: espaguetis con tomate. Merluza con ensalada. Pan. Fruta.
Merienda: leche descremada. Fruta.
Cena: hervido. Tortilla francesa. Ensalada. Pan. Fruta.

Cantidades: jueves

Desayuno:	Leche descremada	200 g
	Fruta	100 g
Media mañana:	Pan	30 g
	Jamón serrano	25 g
Comida:	Pasta con espaguetis	30 g
	Tomate	25 g
	Aceite de oliva	5 g
	Merluza	50 g
	Lechuga	100 g
	Tomate	100 g
	Aceite de maíz	5 g
	Pan	15 g
	Fruta	150 g
Merienda:	Leche descremada de vaca	200 g
	Fruta	100 g
Cena:	Patata cocida	50 g
	Espinacas	35 g
	Aceite de oliva	5 g
	Huevo entero	50 g
	Lechuga	100 g
	Tomate	100 g
	Aceite de maíz	5 g
	Pan	15 g
	Fruta	150 g

Viernes

Desayuno: leche descremada. Fruta.
Media mañana: pan. Jamón de York. Zumo.
Comida: arroz blanco con tomate. Pollo asado. Ensalada. Pan. Fruta.
Merienda: yogur natural. Fruta.
Cena: ensalada. Pescado a la plancha o al horno con patatas y champiñones.
Pan. Fruta.

Cantidades: viernes

Desayuno:	Leche descremada de vaca	200 g
	Fruta	100 g
Media mañana:	Pan	25 g
	Jamón de York	20 g
	Zumo de naranja	125 g
Comida:	Arroz	30 g
	Tomate	50 g
	Aceite de oliva	5 g
	Pollo	50 g
	Lechuga	100 g
	Tomate	100 g
	Aceite de maíz	5 g
	Pan	15 g
	Fruta	150 g
Merienda:	Yogur natural	200 g
	Fruta	100 g
Cena:	Lechuga	100 g
	Tomate	100 g
	Zanahoria	50 g
	Aceite de maíz	5 g
	Pescado	50 g
	Patata cocida	20 g
	Champiñón	20 g
	Pan	15 g
	Fruta	150 g

Sábado

Desayuno: leche descremada. Fruta.
Media mañana: pan. Queso descremado. Zumo.
Comida: judías verdes rehogadas. Ternera picada. Ensalada. Pan. Fruta.
Merienda: leche descremada. Fruta.
Cena: sopa de sémola. Tortilla de patatas. Ensalada. Pan. Fruta.

Cantidades: sábado

Desayuno:	Leche descremada de vaca	200 g
	Fruta	100 g
Media mañana:	Pan	25 g
	Queso descremado	20 g
	Zumo de naranja	125 g
Comida:	Judías verdes	100 g
	Tomate	100 g
	Cebolla	50 g
	Aceite de oliva	5 g
	Ternera picada	70 g
	Tomate	100 g
	Lechuga	50 g
	Aceite de maíz	5 g
	Pan	15 g
	Fruta	150 g
Merienda:	Leche descremada de vaca	200 g
	Fruta	100 g
Cena:	Sémola	25 g
	Huevo entero	50 g
	Patata cocida	50 g
	Lechuga	50 g
	Aceite de oliva	5 g
	Pan	15 g
	Fruta	150 g

Domingo

Desayuno: leche entera de vaca. Fruta.
Media mañana: pan. Jamón serrano.
Comida: potaje de garbanzos. Pan con tomate. Fruta.
Merienda: leche descremada. Fruta.
Cena: puré de patatas y zanahoria. Pollo a la plancha con lechuga. Pan. Fruta.

Cantidades: domingo

Desayuno:	Leche entera de vaca	200 g
	Fruta	100 g
Media mañana:	Pan	30 g
	Jamón serrano	30 g
Comida:	Garbanzos	30 g
	Patata	30 g
	Huevo	25 g
	Acelgas	30 g
	Aceite de oliva	5 g
	Pan	20 g
	Tomate	20 g
	Aceite de maíz	5 g
	Fruta	150 g
Merienda:	Leche descremada de vaca	200 g
	Fruta	100 g
Cena:	Patata	50 g
	Zanahoria	50 g
	Aceite de oliva	8 g
	Pollo	50 g
	Lechuga	50 g
	Aceite de maíz	5 g
	Pan	20 g
	Fruta	150 g

Menús de 1.400 kcal diarias para niños obesos

Lunes

Desayuno: leche descremada. Fruta.
Media mañana: pan. Queso descremado. Zumo.
Comida: menestra de verduras. Ternera a la plancha con ensalada. Pan. Fruta.
Merienda: leche descremada. Fruta.
Cena: hervido. Tortilla de champiñón. Ensalada. Pan. Fruta.

Cantidades: lunes

Desayuno:	Leche descremada de vaca	250 g
	Fruta	150 g
Media mañana:	Pan	25 g
	Queso descremado	30 g
	Zumo de naranja	200 g
Comida:	Patata cocida	50 g
	Alcachofa	75 g
	Judías verdes	50 g
	Cebollas	50 g
	Aceite de oliva	5 g
	Ternera	60 g
	Lechuga	100 g
	Tomate	100 g
	Aceite de maíz	5 g
	Pan	20 g
	Fruta	200 g
Merienda:	Leche de vaca descremada	250 g
	Fruta	150 g
Cena:	Patata cocida	50 g
	Acelgas	50 g
	Cebolla	30 g
	Aceite de oliva	5 g
	Huevo entero	50 g

Champiñón		50 g
Tomate		100 g
Lechuga		100 g
Aceite de maíz		5 g
Pan		20 g
Fruta		150 g

Martes

Desayuno: leche descremada. Fruta.
Media mañana: pan. Jamón de York. Zumo.
Comida: lentejas estofadas. Pan con tomate con jamón serrano. Fruta.
Merienda: leche descremada. Fruta.
Cena: sopa de fideos. Pollo a la plancha con ensalada. Pan. Fruta.

Cantidades: martes

Desayuno:	Leche de vaca descremada	250 g
	Fruta	150 g
Media mañana:	Pan	25 g
	Jamón de York	25 g
	Zumo de naranja	125 g
Comida:	Lentejas	25 g
	Patata cocida	30 g
	Cebolla	25 g
	Aceite de oliva	5 g
	Pan	25 g
	Tomate	50 g
	Jamón serrano	30 g
	Fruta	150 g
Merienda:	Leche descremada de vaca	250 g
	Fruta	150 g
Cena:	Fideos, pasta	25 g
	Pollo	50 g
	Aceite de oliva	5 g
	Lechuga	100 g
	Aceite de maíz	5 g
	Pan	20 g
	Fruta	150 g

Miércoles

Desayuno: leche descremada. Fruta.
Media mañana: pan. Queso descremado. Zumo de naranja.
Comida: ensaladilla. Cordero. Ensalada. Pan. Fruta.
Merienda: leche descremada. Fruta.
Cena: sopa de fideos. Merluza. Ensalada. Pan. Fruta.

Cantidades: miércoles

Desayuno:	Leche descremada de vaca	250 g
	Fruta	150 g
Media mañana:	Pan	25 g
	Queso descremado	30 g
	Zumo de naranja	200 g
Comida:	Patata cocida	50 g
	Judías verdes	40 g
	Guisantes	30 g
	Olivas	20 g
	Aceite de oliva	5 g
	Cordero	70 g
	Lechuga	100 g
	Aceite de maíz	5 g
	Pan	25 g
	Fruta	150 g
Merienda:	Leche descremada de vaca	250 g
	Fruta	150 g
Cena:	Fideos o pasta	25 g
	Merluza	60 g
	Aceite de oliva	5 g
	Tomate	100 g
	Lechuga	100 g
	Aceite de maíz	5 g
	Pan	20 g
	Fruta	150 g

Jueves

Desayuno: leche descremada. Fruta.
Media mañana: pan. Jamón serrano. Zumo.
Comida: espaguetis con tomate. Pescado. Ensalada. Pan. Fruta.
Merienda: leche descremada. Fruta.
Cena: hervido. Tortilla francesa. Ensalada. Pan. Fruta.

Cantidades: jueves

Desayuno:	Leche descremada de vaca	250 g
	Fruta	150 g
Media mañana:	Pan	30 g
	Jamón serrano	25 g
	Zumo de naranja	200 g
Comida:	Pasta, espaguetis	25 g
	Tomate	30 g
	Aceite de oliva	5 g
	Pescado	60 g
	Lechuga	100 g
	Tomate	100 g
	Aceite de maíz	5 g
	Pan	20 g
	Fruta	150 g
Merienda:	Leche descremada de vaca	250 g
	Fruta	150 g
Cena:	Patata cocida	50 g
	Espinacas	50 g
	Aceite de oliva	5 g
	Huevo	50 g
	Lechuga	100 g
	Tomate	100 g
	Aceite de maíz	5 g
	Pan	20 g
	Fruta	200 g

Viernes

Desayuno: leche descremada. Fruta.
Media mañana: pan. Jamón de York. Zumo.
Comida: arroz blanco con tomate. Pollo asado. Ensalada. Pan. Fruta.
Merienda: yogur natural. Fruta.
Cena: ensalada. Emperador con champiñones. Pan. Fruta.

Cantidades: viernes

Desayuno:	Leche descremada de vaca	250 g
	Fruta	150 g
Media mañana:	Pan	30 g
	Jamón de York	25 g
	Zumo de naranja	150 g
Comida:	Arroz	35 g
	Tomate	50 g
	Aceite de oliva	5 g
	Pollo	50 g
	Aceite de oliva	5 g
	Lechuga	100 g
	Tomate	100 g
	Aceite de maíz	5 g
	Pan	20 g
	Fruta	150 g
Merienda:	Yogur natural	125 g
	Fruta	150 g
Cena:	Lechuga	100 g
	Tomate	100 g
	Zanahoria	100 g
	Aceite de maíz	5 g
	Emperador	50 g
	Champiñón	50 g
	Aceite de oliva	5 g
	Pan	25 g
	Fruta	150 g

Sábado

Desayuno: leche descremada. Fruta.
Media mañana: pan. Queso descremado. Zumo.
Comida: judías verdes rehogadas. Ternera picada. Ensalada. Pan. Fruta.
Merienda: leche descremada. Fruta.
Cena: sopa de sémola. Tortilla de patatas. Ensalada. Pan. Fruta.

Cantidades: sábado

Desayuno:	Leche descremada de vaca	250 g
	Fruta	150 g
Media mañana:	Pan	25 g
	Queso descremado	30 g
	Zumo de naranja	150 g
Comida:	Judías verdes	100 g
	Tomate	100 g
	Cebolla	50 g
	Patata cocida	50 g
	Aceite de oliva	5 g
	Ternera picada	80 g
	Tomate	100 g
	Lechuga	50 g
	Aceite de maíz	5 g
	Pan	20 g
	Fruta	150 g
Merienda:	Leche descremada de vaca	250 g
	Fruta	150 g
Cena:	Sémola	30 g
	Huevo	50 g
	Patata cocida	50 g
	Lechuga	50 g
	Aceite de oliva	5 g
	Pan	20 g
	Fruta	150 g

Domingo

Desayuno: leche entera de vaca. Fruta.
Media mañana: pan. Jamón serrano. Zumo.
Comida: potaje de garbanzos. Pan con tomate. Fruta.
Merienda: leche descremada. Fruta.
Cena: puré de patatas y zanahoria. Pollo a la plancha con ensalada. Pan. Fruta.

Cantidades: domingo

Desayuno:	Leche entera de vaca	250 g
	Fruta	150 g
Media mañana:	Pan	30 g
	Jamón serrano	30 g
	Zumo de naranja	150 g
Comida:	Garbanzos	40 g
	Patata	30 g
	Acelgas	50 g
	Huevo	25 g
	Aceite de oliva	8 g
	Pan	25 g
	Tomate	50 g
	Aceite de maíz	5 g
	Fruta	150 g
Merienda:	Leche descremada de vaca	250 g
	Fruta	150 g
Cena:	Patata	50 g
	Zanahoria	50 g
	Aceite de oliva	5 g
	Pollo	60 g
	Lechuga	60 g
	Aceite de maíz	5 g
	Pan	30 g
	Fruta	150 g

17

Alimentación durante la diarrea aguda

La diarrea aguda es muy frecuente en los niños y en términos médicos se llama gastroenterocolitis aguda. En la mayoría de casos es una enfermedad infecciosa intestinal causada por microorganismos, virus o bacterias. Se caracteriza porque las deposiciones se hacen blandas o líquidas y además más abundantes y numerosas. A veces también hay vómitos y fiebre.

Hay que tener unas ideas fundamentales sobre la diarrea aguda:

- La mayoría curan espontáneamente en pocos días sin ningún tratamiento especial.
- El mayor peligro de la diarrea aguda es la posibilidad de deshidratación si se pierden excesivos líquidos.
- El niño que está más expuesto a deshidratarse es el lactante.
- También pueden deshidratarse los niños que vomitan o aquellos en los que no se toman las medidas adecuadas de rehidratación.
- La diarrea aguda es una enfermedad de todo el intestino, que no se debe sobrecargar de alimento hasta que cure.

La diarrea aguda es una enfermedad de todo el intestino, muy frecuente en niños.

El mayor peligro de la diarrea aguda es que el niño se deshidrate por pérdida excesiva de líquidos.

Están más expuestos a deshidratarse los lactantes, los niños que sufren vómitos y aquellos en los que no se toman medidas de rehidratación.

En todas las diarreas agudas, los padres deben tomar 4 medidas:

• Evitar que el niño se deshidrate.
• Evitar que contagie a otros niños o adultos.
• Dar al niño la dieta adecuada.
• Consultar al pediatra.

Cómo evitar que el niño se deshidrate

Como la deshidratación es la pérdida excesiva de líquidos y de las sales que los acompañan, la manera de evitar la deshidratación es que el niño ingiera aproximadamente la misma cantidad de líquidos que va perdiendo, al mismo ritmo que los pierde.

Se ha estudiado la composición de las heces diarreicas y se ha elaborado una solución que tiene la misma composición en agua y sales, y que, por tanto, compensa esta pérdida. Se llama solución de rehidratación oral hiposódica, fórmula ESPGHAN, que abreviando llamaremos SROH, y que es diferente de la que deben tomar los adultos. Existen en las farmacias preparados en sobres que hay que diluir en agua, pero siempre asegurándose de que el sobre se disuelve en la cantidad correcta de agua.

Para evitar que se cometan errores al diluir, existen preparados ya en forma líquida, listos para tomar, y que son los recomendados. En España actualmente sólo existen dos preparados comerciales en forma líquida, llamados Miltina Electrolit y Oralsuero. No se deben dar ni zumos de frutas, ni bebidas azucaradas, ni agua sola, ni preparaciones caseras.

La solución de rehidratación oral hiposódica (SROH) debe ingerirse en pequeñas cantidades cada vez, en biberón, en cucharadita o en vaso, según la edad del niño. Si se da mucha cantidad de una vez, el niño la puede vomitar. Si la toma bien y no la vomita se repite la toma a los 15 minutos. Si sigue tolerando se sigue igual mientras el niño tenga sed.

La cantidad total de solución SROH que hay debe administrarse depende de la intensidad de la diarrea. Se ha calculado que la cantidad media que pierde el niño con cada deposición líquida, en ml, es igual al peso del niño multiplicado por 10. Esta cantidad sirve de guía para establecer la cantidad aproximada de SROH que en total se debe dar al niño. Así un niño de 1 año y 10 kg de peso que ha hecho 4 deposiciones líquidas, deberá beber un total de 400 ml de la solución SROH (10x10x4)

La deshidratación es un desequilibrio entre la salida de líquidos (por las heces) y la entrada (por la boca). Si no entra porque el niño vomita habrá peligro de deshidratación. En este caso conviene la consulta urgente al pediatra.

Se puede evitar la deshidratación si el niño ingiere una solución de rehidratación oral hiposódica en la misma cantidad aproximada que la pierde.

Se recomiendan las soluciones en forma líquida, listas para tomar.

Esta solución se bebe en pequeñas cantidades cada vez, pero frecuentemente, cada 15 minutos, para que el niño tome todo lo que quiera.

Si el niño vomita corre mayor peligro de deshidratarse y es preciso consultar urgentemente al pediatra.

Cómo evitar que el niño contagie

Los gérmenes causantes de la diarrea aguda pueden contagiar fácilmente a otros niños y adultos por lo que se llama vía fecal-oral. Las heces, los pañales y los objetos del niño enfermo contaminan las manos de los padres, familiares o cuidadores, que tocan objetos y personas, diseminando los microorganismos.

La manera fácil, sencilla y eficaz de evitar esta diseminación de gérmenes y el contagio, es el lavado de las manos con agua y jabón cada vez que se toca al niño o a sus objetos, es decir, muy frecuentemente.

Es preferible que, durante la enfermedad, el niño no acuda a la guardería o al colegio, pero si esto no es posible, hay que avisarles para que se tome la medida del frecuente lavado de manos.

La medida esencial para evitar la diseminación de gérmenes causantes de la diarrea aguda y el contagio a otras personas es el frecuente lavado de manos con agua y jabón.

Dieta durante la diarrea aguda

Clásicamente, los pediatras han tratado la diarrea aguda suprimiendo la alimentación durante muchas horas, lo que se llamaba el reposo intestinal prolongado, seguido de una dieta rigurosa, la astringente. El período de supresión de la alimentación era tanto más prolongado cuanto más intensa era la diarrea.

Desde hace ya muchos años se conoce que con esta «dieta de hambre» el niño no se nutre bien y se recupera peor de la enfermedad.

Lo correcto es no prolongar la dieta, la supresión de la alimentación, más de 4 a 6 horas. También se han simplificado las dietas astringentes y hoy se prefiere volver a la alimentación normal habitual lo más pronto posible.

A continuación se exponen las recomendaciones de dieta durante la diarrea aguda, según cada edad.

Dieta durante la diarrea aguda en el lactante menor de 6 meses

a) Con lactancia materna

Si el lactante está tomando lactancia materna, durante la diarrea aguda ni siquiera está indicado hacer dieta alguna. Se debe continuar con la lactancia materna con el mismo horario, sólo con la precaución de que el niño tome menos cantidad, acortando el tiempo de tetada. Se comienza con la mitad del tiempo durante dos a tres tetadas y después se aumenta poco a poco el tiempo hasta volver a la normalidad anterior.

Entre las tomas hay que administrar la solución SROH indicada, en pequeñas cantidades cada vez, pero frecuentemente, para que el lactante tome todo lo que quiera y compense así la pérdida de líquidos por la diarrea. La SROH entre las tomas no se suprime hasta que no se normalizan las deposiciones.

b) Con lactancia artificial

Si el lactante toma biberón de leche adaptada se le deja a dieta de 4 a 6 horas. Durante este tiempo se ofrece la solución SROH en pequeñas cantidades cada vez, pero cada 15 o 20 minutos, para que el niño tome lo que quiera. La cantidad total de SROH que se debe administrar en estas 4 a 6 horas dependerá de la intensidad de la diarrea.

Después de este período se reanuda la alimentación habitual con leche adaptada. No está indicado el diluir el biberón, ni dar leches especiales, salvo por indicación del pediatra en casos concretos. Se puede administrar menos cantidad de biberón en las primeras tomas, pero avanzando la hora de la toma siguiente, de manera que la cantidad total ingerida sea la normal.

Entre los biberones se sigue ofreciendo SROH, para que el niño tome lo que quiera mientras persista la diarrea.

> El lactante que toma lactancia materna no necesita hacer dieta y debe continuar con las tomas en el horario habitual.
>
> El lactante que toma biberón debe hacer 4 a 6 horas de dieta y después se reanuda la alimentación habitual.
>
> Durante el período de dieta se administra la solución de rehidratación oral hiposódica, a pequeñas tomas, cada 15 a 20 minutos.
>
> Después de reanudada la alimentación, se sigue ofreciendo la SROH entre las tomas.

Dieta durante la diarrea aguda en el lactante de 6 a 12 meses

La norma es la misma que se ha explicado: suprimir la alimentación durante 4 a 6 horas, administrando la SROH para después reanudar la alimentación habitual, aunque en menor cantidad y suministrando la solución entre las tomas.

Es importante recordar que durante la diarrea aguda está alterado todo el intestino y es normal que el niño pierda el apetito. El que en estos momentos el niño coma poco o nada es normal y no debe preocupar. Es más importante que beba toda la cantidad que quiera de SROH. Hay que tener cuidado en no forzar la alimentación, ya que se puede provocar el vómito y empeorar la situación.

A esta edad, durante la diarrea aguda se pueden dar, en vez de la alimentación normal, alimentos que estriñen, denominados astringentes. Así en vez de papilla de cereales variados se puede dar papilla de arroz. En vez de papillas de frutas variadas se puede dar papillas de plátano y manzana, más una medida de crema de arroz.

Si el lactante es mayor pueden administrársele papilla de triturado de pollo con zanahoria y papilla de triturado de pescado con zanahoria.

Triturado de pollo: 50 g de pollo, 100 g de zanahoria, 20 g de sémola de arroz, más 10 ml de aceite. Cocer y triturar.

Triturado de pescado: 50 g de pescado blanco, 100 g de zanahoria, 20 g de sémola de arroz, más 10 ml de aceite. Cocer y triturar.

También en lactantes mayores se puede optar un puré clarito de zanahoria y patata.

Como ejemplo:

• Dieta astringente en un lactante de 10 meses

Desayuno: papilla de crema de arroz con leche de continuación.

Mediodía: triturado de pollo. Complementar con un poco de yogur natural.

Merienda: papilla de plátano y manzana, más una medida de crema de arroz.

Cena: elegir entre un puré de zanahoria, patata y arroz, complementando con un poco de yogur natural. O bien, triturado de pescado. O bien, papilla de crema de arroz con leche de continuación.

Madrugada: se puede dar media toma de leche de continuación.

En el lactante de 6 a 12 meses de edad con diarrea aguda, se debe suprimir la alimentación de 4 a 6 horas, administrando la SROH.

Después se reanuda la alimentación normal, o bien, dieta astringente, que consiste en papillas de crema de arroz, de plátano y manzana; y triturado de pollo, zanahoria y arroz. Entre tomas se ofrece SROH. Es normal que se pierda el apetito. No se debe forzar la alimentación.

Dieta durante la diarrea aguda en el niño mayor de 1 año

Se sigue la misma norma: supresión de la alimentación durante 4 a 6 horas; durante este tiempo se suministra la solución de rehidratación oral hiposódica a pequeñas tomas.

Después se reanuda la alimentación, con una dieta astringente para niños mayores, a elegir entre los siguientes alimentos:

Desayuno: elegir entre yogur natural, queso fresco, pan tostado y manzana rallada.

Media mañana y merienda: igual que el desayuno.

Comida:

• Primeros platos: elegir entre sopa de arroz, sopa de fideos, tapioca, arroz blanco, o puré de zanahoria y patata.
• Segundos platos: elegir entre pollo a la plancha o pescado blanco a la plancha. Como guarnición patata asada o zanahoria rallada. Pan tostado.

Cena:

• Primeros platos: los mismos que en la comida, a elegir.
• Segundos platos: elegir entre pollo hervido, pescado blanco hervido, jamón de York o tortilla francesa. Pan tostado.

Postres: plátano o manzana rallada, o manzana asada.

La dieta astringente no debe prolongarse durante muchos días, y se debe pasar a la alimentación variada normal, poco a poco, cuando mejore la diarrea.

Recordar que es normal la pérdida de apetito y que no debe forzarse la alimentación.

En el niño mayor de 1 año con diarrea aguda se debe suprimir la alimentación de 4 a 6 horas, administrándole la SROH.

Después se da una dieta astringente, pero variada. Entre tomas se sigue ofreciendo la SROH. La dieta astringente no debe prolongarse, pasando poco a poco a la alimentación variada normal.

Durante la diarrea aguda es normal la pérdida de apetito. No se debe forzar la alimentación.

18

Alimentación
del niño deportista

Están demostrados los beneficios que aporta la práctica de cualquier forma de actividad física frente al sedentarismo. Pero la relación positiva entre ejercicio físico y salud está asociada con el ejercicio físico no extenuante, es decir, «de baja intensidad», que consiste en una actividad moderada durante períodos no superiores a una hora al día.

Con los conocimientos técnicos actuales, el ejercicio físico muy intenso y el deporte de competición se consideran negativos para la salud si producen agotamiento o fatiga extrema. El agotamiento produce radicales libres que «oxidan» el organismo, favoreciendo su desgaste y el envejecimiento.

En síntesis, durante la niñez y la adolescencia hay que evitar el sedentarismo y favorecer la actividad física como norma de vida, siempre que sea moderada. No se aconseja el deporte de competición por sus efectos adversos.

Requerimientos nutritivos del niño y del adolescente deportistas

Durante la actividad deportiva se consume más energía. El gasto será mayor cuanto más intenso sea el deporte y más tiempo se le dedique.

Una actividad física moderada como puede ser pasear, jugar al golf, trabajos de la casa o del jardín, etc., significa un gasto energético de aproximadamente 2 kcal por minuto en el niño de 30 kg de peso, y de 4 kcal por minuto en el adolescente de 50 kg de peso.

Una actividad física intensa como puede ser correr, jugar al fútbol, al baloncesto, bicicleta, etc., significa un gasto energético de aproximadamente 5 kcal por minuto en el niño de 30 kg de peso y de 8 a 9 kcal por minuto en el adolescente de 50 kg de peso. Este gasto debe cubrirse con un aumento similar de la ingesta de nutrientes. Así, un niño de 30 kg que juega un partido de fútbol (90 minutos) consumirá aproximadamente 450 kcal, que se deben aportar como extra en la dieta de los días siguientes.

Aunque esta energía añadida se obtiene fundamentalmente de los hidratos de carbono y de las grasas, la dieta del niño deportista debe mantener el mismo equilibrio de nutrientes ya indicado, es decir:

• Proteínas: del 12 al 15% de las calorías.
• Grasas: el 30% de las calorías.
• Hidratos de carbono: del 55 al 58% de las calorías.

En síntesis, el niño no debe variar su alimentación sino comer un poco más de la dieta normal. Esta cantidad «extra» de alimento normal le proporciona también el nutriente que precisa de vitaminas y de oligoelementos, que también se «gastan» durante el ejercicio físico.

Un cuidado especial merecen las necesidades incrementadas de agua. El ejercicio físico aumenta mucho las pérdidas de agua por los poros de la piel y por los pulmones (por el incremento de la respiración), que es necesario cubrirlas ingiriendo agua suficiente antes de que aparezca la sed. La sensación de sed aparece después de que el organismo ha quedado con menor agua de la conveniente, por lo que conviene anticiparse.

Hay que favorecer la actividad física moderada, pero evitar el agotamiento o fatiga extrema. No se aconseja el deporte de competición por sus efectos adversos.

Durante la actividad deportiva se consume una energía extra que debe reponerse aumentando la alimentación.

La dieta del niño deportista no debe variar su composición, sino comer más de la dieta normal.

Durante el ejercicio físico también hay una pérdida extra de agua, por lo que se debe beber antes de que aparezca la sed.

Alimentación antes de la competición

Durante la práctica del deporte se emplea como fuente directa de ener-gía los hidratos de carbono (glucógeno) almacenados en los músculos y en el hígado. Para que estos depósitos estén repletos en el momento de la competición, además de haber ingerido una alimentación normal los días anteriores, se precisa que la última comida no se haya realizado más de 4 horas antes. Si hay un intervalo mayor de 4 horas después de la última comida, el ejercicio físico puede agotar las reservas de azúcares y provocar hipoglucemia.

Lo ideal es iniciar el ejercicio físico intenso entre las 2 y las 3 horas de la última comida normal, para que esté acabada la digestión y se rellenen los depósitos.

Media hora antes del ejercicio se pueden tomar líquidos que contengan fructosa, un azúcar que no desencadena un «rebote» de hipoglucemia.

Bebida durante la competición

Durante la competición se deben beber líquidos de manera programada, a intervalos regulares, para compensar su pérdida, incluso aunque no se tenga sed.

Se recomienda beber cada 15 a 20 minutos una cantidad aproximada de 2 a 3 ml por kg de peso. Así un niño de 30 kg que practica deporte durante una hora debe beber unos 80 ml cada 15 a 20 minutos, con un total de unos 300 ml en la hora.

Normalmente el líquido que debe beberse es agua. Pero si el ejercicio es muy prolongado, superando una hora de duración, puede haber peligro de hipoglucemia, y es mejor beber una bebida azucarada a una concentración del 5%.

Los líquidos que contienen electrolitos no suelen ser necesarios en el niño, ya que el déficit de estos se produce con ejercicios muy intensos, de más de 3 horas de duración, muy poco habitual en esta edad.

Alimentación después de la competición

Después de la competición hay que reponer dos elementos fundamentales perdidos: el agua y las reservas de hidratos de carbono (glucógeno).

La cantidad de agua perdida será mayor cuanto más intenso y de mayor duración haya sido el deporte, así cuanto más alta sea la temperatura ambiente. En verano o en recintos cerrados se pierde mayor cantidad de agua.

La manera exacta de reponer el agua perdida sería el control del peso corporal antes y después del ejercicio. La diferencia sería la cantidad de agua que habría que ingerir. Si se ha bebido durante la competición en las cantidades recomendadas, la cantidad a beber después será menor, alrededor de 8 ml por kg de peso, en ejercicios de una hora.

Para reponer las reservas de hidratos de carbono (glucógeno), agotadas durante el ejercicio, hay que tomar lo más pronto posible tras la ducha, una comida ligera rica en hidratos de carbono: fruta, leche azucarada, yogur azucarado, tostadas con mermelada, etcétera.

El ejercicio físico no debe comenzar más tarde de 4 horas después de la última comida.

Se recomienda empezar de 2 a 3 horas después de la comida.

Media hora antes del ejercicio se pueden beber líquidos con fructosa.

Durante la competición se debe beber agua en pequeñas cantidades, a intervalos regulares, cada 15 a 20 minutos.

Después de la competición hay que reponer totalmente el agua perdida.

Para reponer los depósitos de hidratos de carbono (glucógeno) se recomienda, lo más pronto posible, una comida ligera.

Apéndice

Minitablas de composición de alimentos

En estas minitablas se expone el valor energético y el contenido en 13 nutrientes, seleccionados como más importantes de entre 43 alimentos de consumo más frecuente, expresados por 100 g de la parte comestible del alimento crudo. En la primera línea se expresa la parte comestible de cada alimento por cada 1 g de alimento bruto.

Los valores son aproximados y nunca exactos ya que pueden variar con la procedencia, la calidad del alimento, incluso de la estación del año.

Minitablas de composición de alimentos
(por 100 g de parte comestible)

	Arroz	Pan blanco	Pan integral	Pasta (fideos, macarrones)
Porción comestible	1	1	1	1
Energía (kcal)	371	243	231	348
Proteína (g)	7,6	9	8,5	12
Grasa (g)	1,7	1,6	1,6	1,8
Grasa saturada (g)	0,13	0,39	0,31	0,3
Grasa insaturada (g)	0,36	0,62	0,94	0,9
Colesterol (mg)	0	0	0	0
Hidratos de carbono (g)	86,8	51,5	48,9	75
Ca (mg)	10	56	58	25
Fe (mg)	0,8	1,6	2	1,6

Vitamina B1 (mg)	0,06	0,08	0,3	0,18
Folato (microgramos)	2	0	28	23
Vitamina A (microgramos)	0	0	0	0
Vitamina C (mg)	0	0	0	0
Vitamina D (microgramos)	0	0	0	0

	Galletas maría	Madalenas	Croissant con chocolate
Porción comestible	1	1	1
Energía (kcal)	445	469	455
Proteína (g)	4,3	6,4	5,6
Grasa (g)	27,6	22	15
Grasa saturada (g)	12,7	0	6,6
Grasa insaturada (g)	14,9	19,8	7
Colesterol (mg)	0	130	130
Hidratos de carbono (g)	48	65	79
Ca (mg)	95	82	82
Fe (mg)	4,3	1,5	4
Vitamina B1 (mg)	0,1	0,14	0,1
Folato (microgramos)	30	7	4
Vitamina A (microgramos)	3,6	240	0,13
Vitamina C (mg)	2,2	0	0
Vitamina D (microgramos)	0	2	0

	Leche entera	Leche semidesnatada	Leche desnatada	Nata
Porción comestible	1	1	1	1
Energía (kcal)	62	41	33	447
Proteína (g)	3,1	2,7	3,2	1,5
Grasa (g)	3,5	1,6	0,2	48

Grasa saturada (g)	2,1	1,1	0,1	30
Grasa insaturada (g)	1,3	0,5	0	15,3
Colesterol (mg)	14,5	6,3	0	140
Hidratos de carbono (g)	4,6	4,3	4,9	2,4
Ca (mg)	120	125	120	50
Fe (mg)	0,04	0,09	0,25	0,2
Vitamina B1 (mg)	0,03	0,04	0,04	0,02
Folato (microgramos)	5,5	2,7	5,4	2
Vitamina A (microgramos)	30	19	0	500
Vitamina C (mg)	1	0,5	1,7	1
Vitamina D (microgramos)	0,03	0,02	0	0,28

	Queso de Burgos	Queso de bola	Queso manchego	Requesón
Porción comestible	1	0,95	0,95	1
Energía (kcal)	203	348	391	97
Proteína (g)	15	29	29	13
Grasa (g)	15	25	30	4
Grasa saturada (g)	8,8	14,7	19	2,5
Grasa insaturada (g)	5,2	8	10	1,2
Colesterol (mg)	14,5	85	87	19
Hidratos de carbono (g)	2,5	2	0,5	18
Ca (mg)	187	760	765	60
Fe (mg)	0,6	0,5	0,6	0,1
Vitamina B1 (mg)	0,02	0,03	0,04	0,02
Folato (microgramos)	14	30	21	18
Vitamina A (microgramos)	261	305	360	38
Vitamina C (mg)	0	0	0	0
Vitamina D (microgramos)	0	0,18	0,28	0,02

	Yogur natural	Huevos de gallina (sin cáscara)	Aceite de oliva	Margarina
Porción comestible	1	0,88	1	1
Energía (kcal)	60	159	899	747
Proteína (g)	4,2	12	0	0,3
Grasa (g)	2,6	12	99,9	82,8
Grasa saturada (g)	1,5	3,3	12,6	23,5
Grasa insaturada (g)	0,9	6,7	73	47,5
Colesterol (mg)	10,2	410	0	0
Hidratos de carbono (g)	5,5	0,6	0	0,2
Ca (mg)	142	56	0	8
Fe (mg)	0,09	2,2	0	0,2
Vitamina B1 (mg)	0,04	0,1	0	0
Folato (microgramos)	3,7	51	0	0
Vitamina A (microgramos)	9,8	227	0	900
Vitamina C (mg)	0,7	0	0	0
Vitamina D (microgramos)	0,06	1,75	0	8

	Patatas	Champiñón	Judías	Lentejas
Porción comestible	0,9	0,8	1	1
Energía (kcal)	72	20	304	312
Proteína (g)	2,5	1,8	21	23
Grasa (g)	0,2	1,2	1,5	1,7
Grasa saturada (g)	0,05	0,2	0,2	0,2
Grasa insaturada (g)	0,2	0,8	0,9	1,2
Colesterol (mg)	0	0	0	0
Hidratos de carbono (g)	16	0,5	54	54

Ca (mg)	7,2	10	126	70
Fe (mg)	0,78	1	6,2	8,2
Vitamina B1 (mg)	0,1	0,1	0,5	0,4
Folato (microgramos)	12	23	316	34
Vitamina A (microgramos)	0	0	0	10
Vitamina C (mg)	18	4	3,4	3,4
Vitamina D (microgramos)	0	0	0	0

	Judías verdes	Lechuga	Tomate	Zanahoria
Porción comestible	0,9	0,6	0,94	0,83
Energía (kcal)	28	16	18	32
Proteína (g)	1,9	1,5	1	0,9
Grasa (g)	0,59	0,6	0,11	0,2
Grasa saturada (g)	0	0,1	0	0
Grasa insaturada (g)	0,3	0,3	0	0,1
Colesterol (mg)	0	0	0	0
Hidratos de carbono (g)	4,2	1,4	3,5	7,3
Ca (mg)	51	34	10	33
Fe (mg)	1	1	0,7	0,5
Vitamina B1 (mg)	0,06	0,06	0,07	0,05
Folato (microgramos)	62	33	28	14
Vitamina A (microgramos)	28	29	94	1.346
Vitamina C (mg)	23	12	26	6
Vitamina D (microgramos)	0	0	0	0

	Manzana	Naranja	Pera	Plátano
Porción comestible	0,92	0,73	0,88	0,66
Energía (kcal)	40	36	46	85
Proteína (g)	0,3	0,8	0,4	1,2

Grasa (g)	0	0	0,1	0,27
Grasa saturada (g)	0	0	0	0,12
Grasa insaturada (g)	0	0	0	0,1
Colesterol (mg)	0	0	0	0
Hidratos de carbono (g)	10,5	8,9	11,7	20,8
Ca (mg)	5,5	41	9,6	7,3
Fe (mg)	0,56	0,49	0,3	0,6
Vitamina B1 (mg)	0,04	0,08	0,02	0,05
Folato (microgramos)	5,8	38	3	20
Vitamina A (microgramos)	4	49	2	18
Vitamina C (mg)	12	50	5,2	11,5
Vitamina D (microgramos)	0	0	0	0

	Merluza	Pescadilla	Sardina	Atún en aceite (lata)
Porción comestible	0,82	0,75	0,68	1
Energía (kcal)	63	67	153	208
Proteína (g)	11,8	15	17	23,8
Grasa (g)	1,8	0,8	9,4	12,6
Grasa saturada (g)	0,35	0,09	2,6	1,6
Grasa insaturada (g)	0,9	0,4	5,7	11
Colesterol (mg)	67	56	79	39
Hidratos de carbono (g)	0	0	0	0
Ca (mg)	33	43	50	27
Fe (mg)	1,1	0,7	2,7	1,2
Vitamina B1 (mg)	0,09	0,09	0,05	0,1
Folato (microgramos)	12,3	13,7	8,7	16,8
Vitamina A (microgramos)	0	0	0	0
Vitamina C (mg)	0	0	63	0
Vitamina D (microgramos)	0	0	7,9	8,2

	Hígado de cerdo	Chuletas de cordero	Ternera magra	Pechuga de pollo
Porción comestible	0,83	0,78	1	1
Energía (kcal)	134	247	131	134
Proteína (g)	21	15	20	21
Grasa (g)	5	20	5,4	5,5
Grasa saturada (g)	1,8	7,3	2	1,8
Grasa insaturada (g)	2,7	9,2	2,4	3
Colesterol (mg)	360	79	59	71
Hidratos de carbono (g)	1,5	0	0	0
Ca (mg)	8	8	8	22
Fe (mg)	13	3,2	2,1	1,5
Vitamina B1 (mg)	0,4	0,13	0,06	0,1
Folato (microgramos)	110	2,9	8	4,8
Vitamina A (microgramos)	17.600	0	0	0,3
Vitamina C (mg)	26	0	0	0
Vitamina D (microgramos)	2,2	0	0	0

	Nueces sin cáscara	Jamón de York	Salchichas de Frankfurt	Patatas fritas
Porción comestible	1	1	1	1
Energía (kcal)	602	107	234	547
Proteína (g)	14	19	12	6,7
Grasa (g)	59	3,5	19	37
Grasa saturada (g)	6,8	0,45	6,8	16
Grasa insaturada (g)	51	3	9	20
Colesterol (mg)	0	45	65	0
Hidratos de carbono (g)	4	1,3	3	50
Ca (mg)	183	9,6	13	30

Fe (mg)	5	2,1	1,8	1,9
Vitamina B1 (mg)	0,3	0,4	0,2	0,18
Folato (microgramos)	77	0	1	10
Vitamina A (microgramos)	8	0	0	0
Vitamina C (mg)	2,6	0	0	6
Vitamina D (microgramos)	0	0	0	0

Bibliografía

Ballabriga, A., Carrascosa, A. *Nutrición en la infancia y la adolescencia*, 2ª ed., Madrid: Ergon, 2001.

Bueno, M., Sarriá, A., Pérez-González, J.M. Eds. *Nutrición en Pediatría*, Madrid: Ergon, 1999.

Commission of the European Communities. *Report of the Scientific Committee for Food on Nutrient and Energy Intakes for the European Community*. Bruselas, 1993.

Food and Nutrition Board. Recommended Dietary. Allowances, 10ª ed. Washington: National Research Council, Academy of Sciences USA, 1989.

Grande Covián, F., Varela, G. *Aspectos de la nutrición del hombre*, Bilbao: Fundación BBV, 1992.

Hernández, M.T., Carreras, M.C., González, P., Dalmau, J. *Manual de dietética infantil*, Valencia: Nutricia, 1990.

Hernández, M. *Alimentación infantil*, Madrid: Díaz de Santos, 1993.

Mahan, L.K., Escott-Stump, S. *Nutrición y dietoterapia de Krause*, 10ª ed., México: Mc Graw Hill, 2001.

Mataix, J., Mañas, M., Llopis, J. et al. *Tablas de composición de alimentos españoles*, 3ª ed., Granada: Universidad de Granada, 1998.

Mataix Verdú, J. *Nutrición y alimentación humana*, Madrid: Ergon, 2002.

Tojo, R. *Tratado de nutrición pediátrica*, Barcelona: Doyma, 2001.

Varela, G. *Tablas de composición de alimentos*, Madrid: Instituto de nutrición del CSIC, 1983.